佐藤忠悦
SATO, Chuetsu

南極に立った樺太アイヌ

白瀬南極探検隊秘話

青土社

南極に立った樺太アイヌ　目次

第一章　樺太アイヌ山辺と白瀬

第二章　南極探検への道

第三章　数奇な運命

南極に立った樺太アイヌ

白瀬南極探検隊秘話

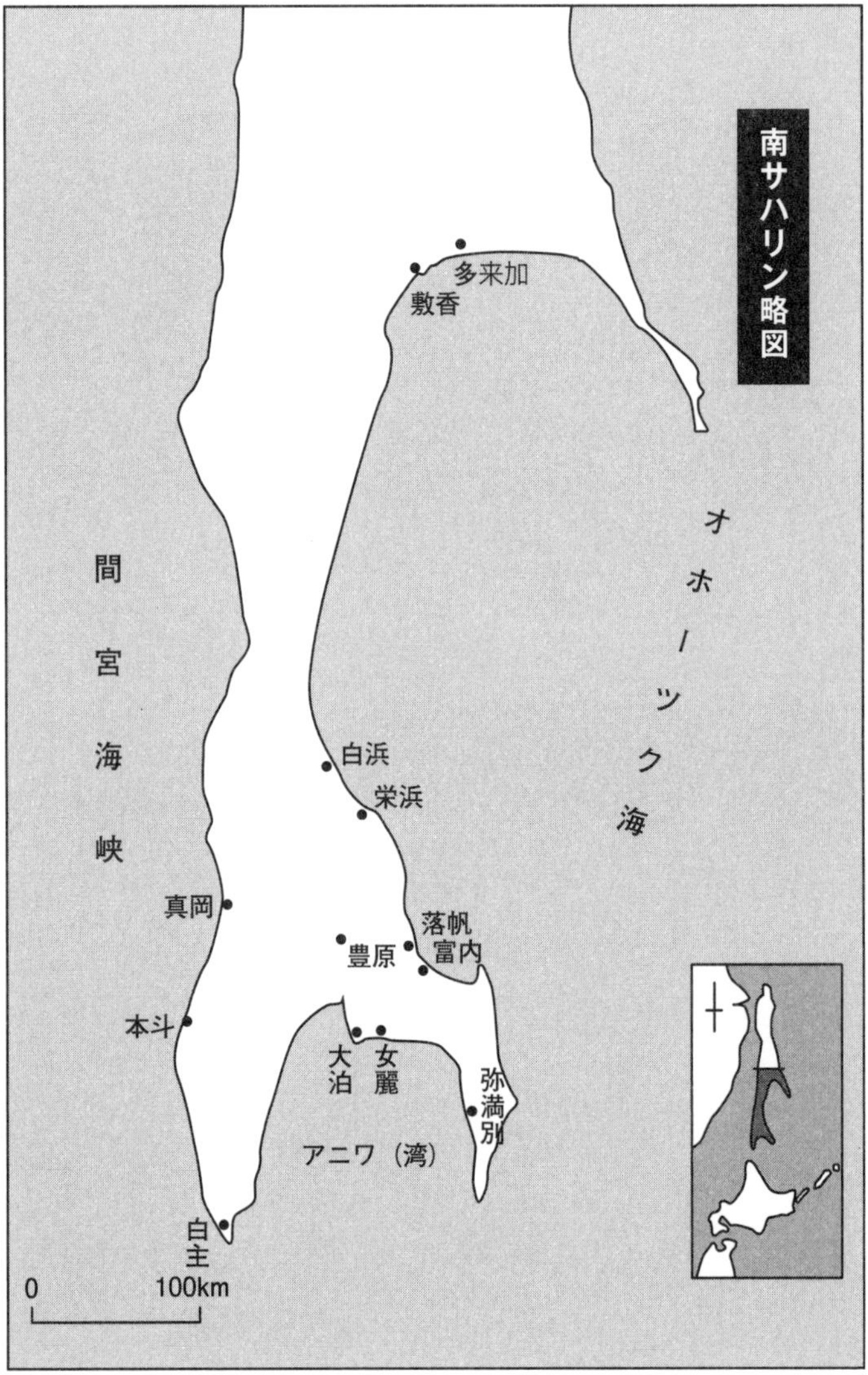
南サハリン略図
多来加
敷香
間宮海峡
オホーツク海
白浜
栄浜
真岡
落帆
富内
豊原
本斗
大泊
女麗
弥満別
アニワ（湾）
白主
0
100km

第一章　樺太アイヌ山辺と白瀬

樺太アイヌと日露戦争

ここに一枚の記念すべき写真がある。明治四五年（一九一二）一月二八日、白瀬南極探検隊の最終到達地点（南緯八〇度〇五分・西経一五六度三七分）に立つ白瀬《しらせ》矗《のぶ》隊長と武田《たけだ》輝太郎《てるたろう》学術部長、三《み》井所《いしょ》清造《せいぞう》衛生部長の三人の写真である。しかし極点を目指した突進隊は三人だけではなく、この他に山辺《やまのべ》安之助《やすのすけ》と花守信吉《はなもりしんきち》という二人の樺太アイヌ隊員が同行していた。二人はそり犬係として樺太から選りすぐったカラフト犬を引き連れて参加した異色の隊員で、白瀬隊にとって欠かすことのできない有力な隊員というだけでなく、隊長の命を救ったとも言われる恩人でもある。

白瀬が彼らを採用した理由は、大型のカラフト犬を使えるというだけではなかった。かつて北欧の極地探検の英雄時代にも寒冷地の北方少数民族サーミ人（ラップラット人）を連れて行ったし、一九〇九年（明治四二）北極点を踏破したアメリカのピアリーは四六人のイヌイット（カナダエスキモー）を同行したことでも分かるように、樺太という寒冷地に育った彼らの耐寒性を考慮した採用と思われる。だが、給与にしても他の和人隊員とは比較にならないほど低額であった。当時のアイヌは未開地の土着民という認識しかなく、北海道では明治四年（一八七一）の戸籍法布告の際「平民」に編入されたものの、その後の法律や公文書の中にも「旧土人」という用語が出てくるように、偏見と差別が白瀬隊にも残っていたことは否定できない。

樺太（現ロシア領・サハリン州）は蝦夷（北海道）に対し北蝦夷と呼ばれ、間宮林蔵によってユーラシア大陸とは陸続きでないことが文化五年（一八〇八）に確認された。この寒冷の島を訪れるのは、年に数度、カムチャッカ方面から狐や黒貂、ラッコなどの毛皮を求めに来るロシア商人と中国黒竜江下流に住む山丹人《ウイルタ》が、樺太南端の白主《しらぬし》へ渡航し、樺太及び北海道アイヌとの限られた地域で交易（山丹交易）しているだけだった。

面積七五、三六〇平方キロメートル（北海道の面積にほぼ等しい）の島に一九世紀中頃には北緯五〇度を境にして、南部に樺太アイヌ約二、六〇〇人が、北部にニブフ（ギリヤーク）約一、五〇〇人とウイルタ約二〇〇人前後が居住し、三種族が漁労や狩猟など食物採取だけで生活する、いわゆる狩猟採集民の天地であった。樺太アイヌは言語、風俗、生活習慣など、北海道アイヌや千島アイヌとも異なる独自の文化を持ち、少なからず大陸文化の影響を受けていた。しかし、この平和な彼らの暮らしも和人の樺太進出によって一変する。

松前氏が漁場から収入を得ようとして樺太に漁場開発を計画したのは宝暦元年（一七五一）の頃が最初とされる。米を生産できない藩の領地では、経済を支えるのは漁場から揚がる海産物の収入が主なものだった。松前藩はその漁場を商人（伊達・栖原など）に請け負わせ、場所請負人をして

最終地点（南緯80度05分）の三人 右から武田学術部長 白瀬隊長 三井所衛生部長

漁獲、加工、販売を担当させ、運上金と称し一定の金額を上納させることによって、藩の経済基盤を支えていた。場所請負人は漁場の権利を与えられると同時に、その場所内に居住する先住民アイヌの保護責任を負わされていた。大部分のアイヌは請負人に雇用され、生活物資の供給を受けていたが、請負人は運上金を納め、利益を増やすため、漁場でアイヌを酷使し、狩猟や漁獲物の交易の自由を束縛し、数量の不正を働くなど横暴をきわめた。

一九世紀から二〇世紀の初頭にかけて、列強が覇権を競う狭間の中で渦中に巻き込まれたのは、自然を敬い、自然に逆らわず平和に暮らす先住民だった。列強は文明の名のもとに権力（武力）によって、先住民の主権を奪い、民族の誇りも住み慣れた土地も、長年培われてきた文化や歴史をもずたずたにした。

樺太は文化四年（一八〇七）、幕府の直轄から松前藩、箱館奉行の統治下に移ったが、島の領有権は曖昧だった。アメリカ使節ペリーが浦和を去って、一ケ月後の嘉永六年（一八五三）七月、ロシアのプチャーチンが通商条約だけでなく、国境を定めることを第一目標に掲げ長崎に来航した。幕府は千島全島と樺太島の北緯五〇度以南の領有を主張。しかしロシアは同意せず、翌年には千島は択捉島以南、樺太はアニワ港のみ日本領とすると提示してきた。双方とも前年の主張を繰り返すだけで解決点を見いだせなかった。両国の合意がなされないまま、安政元年（一八五五）一二月二一日、下田の長楽寺において「日魯通好条約」が締結され「今より日本国とロシア国との境は択捉島とウルップ島との間にあるべし（中略）樺太島に至っては日本国とロシア国との間において界を分かたず、これまでのしきたりの通りたるべし」と定め、樺太島については国境画定を先延ばしにした。

幕府は樺太の漁場を拡大すると共に、アイヌの保護を強化し、南樺太の領有を既成事実とすることに努めた。

一方、ロシアも年々領有をめぐって実績づくりを図り、明治二年（一八六九）には囚人や移民の樺太移送を開始、樺太支配の強化に乗りだしてきた。日本の開国はアメリカによってだが、ロシアも樺太から揺さぶりをかけてきたと言える。

明治三年（一八七〇）樺太開拓次官に任命された黒田清隆は、現地を視察しロシアとの国力（軍事力）の差を実感し、樺太放棄、北海道開拓優先へと傾く。明治六年（一八七三）二月には樺太放棄論を上申し、「力を無用の地に用て、他日に益なきは寧ろ之を顧みざるに若かず。故に之を棄つるは上策と為す」と述べ、樺太を維持する経費（軍隊、軍艦、輸送船等）の莫大な費用の明細を添えて、樺太を棄て北海道の開発に全力を注ぐべきと力説し、名を捨て実を取ることを強調した。これに対し、後に白瀬南極探検隊の後援会長になった大蔵卿大隈重信《おおくましげのぶ》（大蔵事務総裁）は征台論に対し「琉球は外なり、樺太は内なり」と論じ、国権を伸ばすべきは台湾方面ではなく樺太であると黒田の樺太放棄論とは相反する主張をしている。

近藤重蔵　1798年7月27日に、択捉島に「大日本恵登呂府」の標柱建立

後日談だが副島外務卿はアメリカがアラスカ地方を購入して、紛争を解決した例をあげ、北緯五〇度以北の樺太を購入し、紛争を解決すべきと大隈大蔵卿に諮っている（大隈と副島は佐賀県出身）。大隈は即座に賛意を示し買収費（二〇〇万）の支出を承諾した（宮崎雷八『樺太物語』三四三頁）。明治五年（一七八二）一〇月、副島は、ロシア代理公使ビウツオフと会見した。代理公使は同意しなかったが、翌明治六年（一八七三）七月、フランス公使よりロシアが日本の要望に応じて売渡すことに決したという情報が入った。しかし、この時すでに日本政府は樺太・千島の交換を決定した後であった（樺太庁『樺太沿革史』「第九

章　千島樺太ノ交換」）。

明治八年（一八七五）、明治政府はまだ国の基盤が定まらないうちに、ロシアの国力（軍事）を背景にした交渉に屈する形で「樺太千島交換条約」に調印し、樺太をロシアに譲り、千島列島一八島（ウルップ島以西、占守島まで。歯舞、色丹、国後、択捉の四島は日本固有の領土であるため除外されている）を我が領土とすることに同意した。

日本にとって不等価交換だっただけでなく、北海道アイヌとも言語など異なる独自の文化をもった先住民である樺太アイヌからも意見を聞くこともなく主権を全く無視したものだった。このため、樺太アイヌは父祖代々住み慣れた故郷を捨て樺太の地を去るか、ロシア国籍を取って樺太に留まるか、二者択一を迫られた。樺太アイヌおよそ二、四〇〇人（明治六年［一八七三］資料二、三七二人）のうちアニワ湾内一帯の樺太アイヌ一〇八戸、八四一人は樺太を去り、北海道に渡った。この中には見送りに来て、そのまま乗船した者もおり、人々の決断は最後の最後まで揺れ動いた。肉親との離別、家族の分散、コタン（集落）の大混乱と崩壊は想像に余りある。島を出るとき、空き家には火が放たれ、この煙に追われるように乗船したという。両親を亡くしていた九歳の山辺《やまのべ》安《やす》之《の》助《すけ》少年も親戚に手を引かれて乗船していた。

また、北千島アイヌも同様、樺太千島交換条約によって千島列島の全域が日本領土になったため、島民はどちらかの国籍を選択しなければならなかった。経済的にもロシアと強く結びつき、言葉も生活習慣もロシアと変わらない彼らにとって苦渋の選択を迫られた。

明治一七年（一八八四）六月、日本政府は北千島にとどまったアイヌを、色丹島に強制移住させる。ロシア語を自由に話しロシア人と深いつながりのあった者たちを国境地帯に居住させておくことは、北辺警備のうえで危険と考えたからであろうか。第二次世界大戦後にはソ連による色丹島占領によって北海道へ送還されるという、またしても悲惨な運命をたどることになる。

昭和三八年（一九六三）、村崎恭子（アイヌ語研究者・元横浜国立大学教授）は、千島アイヌの血をひいていると思われる数名を訪れ言葉の調査を試みたが不成功に終わった。この調査で最後まで「言葉なんかナンも知らない」と女性は頑なに拒否したたという。理不尽な移住に対するやり場のない抵抗と言えるのではないだろうか。

山辺安之助

山辺安之助（一八六七〜一九二三）は、アイヌ名をヤヨマネクㇷといい、明治維新前年の慶応三年（一八六七）に樺太島アニワ湾に面した弥満別《ヤマンベツ》に生まれた。両親を亡くしていたため親戚筋の木下チコヒロに育てられる。明治四年（一八七一）戸籍法布告によりアイヌは平民に編入され、出身地名に因んで山辺《やまのべ》の姓を名のった（北大資料館の戸籍には山野安之助となっている。元落帆村に住んでいた人たちからの聞き取りによると村の人たちはヤマノべさんと呼んでおり、正月などの寄り合いには南極探検に参加した記念の銀杯を山辺の家族が持参したという）。

対雁学校の額（黒田清隆書 江別市郷土資料館）

　樺太千島交換条約で北海道に渡った山辺たち樺太アイヌは、移住先として墳墓の地を望む対岸の宗谷地方を強く希望したが、彼らの意に反して宗谷とはほど遠い内陸の対雁村《ついしかり》（現江別市）に強制移住させられる。ときの北海道開拓使にとって、樺太島に間近な宗谷では望郷の念から樺太アイヌが帰島し、ロシアとの国際問題に発展することを恐れたことと、北海道の内陸の開拓を進めることが当座の急務であったからである。当初空知夕張炭鉱（夕張市）に入れようとした開拓長官黒田清隆に対し、開拓大判官松本十郎は終身刑徒者扱いすることには「断乎として閣下の命を奉ずる能わざるなり」と強く反対し、アイヌの人権を守り、受刑者と同様の扱いにすべきでないと主張した。それは故郷を捨ててまで日本を慕ってきたアイヌの人たちをどこまでもかばってやりたいという一念からであった。

　松本はアイヌの上着を愛用しアッツシ判官とも呼ばれ、アイヌばかりでなく道民からも慕われていたという。山辺たちが対雁に来て間もないころ、松本判官からピカピカ光る十銭銀貨を貰ったということが『あいぬ物語』（山辺安之助　金田一京助編）に記されている。見知らぬ土地にきた子供たちの寂しさを察し、心温まる気配りであった。松本はこれを機に、郷里（山形県庄内）に帰り二度と官職に就くことはなかった（『あいぬ物語』「松本判官」）。

対雁に移住した樺太アイヌたちは親族が同居して大家族をなしていた。開拓使は彼らに生活費を支給し保護する一方、農地を与え農耕を勧めた。石狩川に面した対雁は肥沃な土地で農業に適していたが、漁労と狩猟を生業とし、北方の大自然の中で自由に生きてきた彼らにとって、土地所有の意識はなく、対雁を引き払って石狩川河口や厚田などの漁場で働く者が増え、明治一七年（一八八四）には移住アイヌのほとんどが石狩川右岸の来札《ライサツ》に移転し漁業に従事している。

山辺たち少年は、対雁にいる間はアイヌのために建設された対雁学校で学んでいた。この対雁学校は上野正（開拓使勧業課）の尽力によるもので、開校前から学校運営基金の募金運動を起こし、自らも多額の寄付をするという熱の入れようで、教員に大河内章三郎（訓導）、遠藤推名狩（助教見習生）の二名体制で発足した。しかし、教師は医者を兼務していたため授業を休むことが多く、一カ月のうち授業のある日は一〇日か一五日ぐらいであったという。この対雁学校はアイヌの学校としては初めてのもので、明

津山仁蔵が建立した慰霊碑

治一一年(一八七八)一月に創設、移住アイヌの授産施設(製網所)に併設された。同年八月には増設しなければならないほど入学者が多かった。以前の松前藩時代には、アイヌが日本語に通じると、漁場に起きた不正事実などが世間に発覚すると恐れてアイヌの日本語、日本文字の習得は禁じられていた。天明年間(一七八一―八九)に最上徳内が東蝦夷(北海道太平洋側)を旅行した時に、随行したアイヌに仮名を教えたところ、松前藩はこのことを厳しく咎めたという。アイヌに対する教育は皆無に等しく、単なる労働力として、それも強制労働に近いかたちで漁場の仕事に従事させられていた。このことを伝えたのは江戸時代末の探検家松浦武四郎(一八一八―八八)である。言い換えれば、蝦夷地の漁場はアイヌの犠牲によって支えられていたといってもよい(北海道立北方民族博物館『樺太一九〇五―四五　日本領時代の少数民族』)。

山辺は学業成績も良く、明治一二年(一八七九)の教育所生徒試験の優秀者の中に「八夜招」(安之助のアイヌ名ヤヨマネクフ)の名が見える(『対雁の碑』一三四頁)。安之助一二歳のときである。同じ優秀者の遠藤椎名狩(アイヌ名シイナカリ)は明治一三年に単独校舎となったアイヌ学校の助教見習生となり、同族の子弟の教育に尽力し、明治一四年(一八八一)には選ばれて、第二回全国勧業博覧会見学のため木下チコヒロなど一〇名とともに上京している。後年シイナカリ(遠藤)の妹アイカルシマは千徳《せんとく》太郎治《たろうじ》に嫁いでいる。

対雁学校を出た山辺は向学心に燃え、商店の奉公人となって、夜間に学ぼうと試みたが、店は間もなく閉じてしまった。それでも山辺は希望を捨てきれず、貯金までして越後(新潟)の学校に行くことを強く望んだが叶わなかった。このような山辺の無念が後年、自らアイヌの学校を建設しようと決意した熱い思いに繋がったと言えよう。

『樺太アイヌ叢話』を著し、山辺の南極探検を支援した千徳太郎治も、この対雁学校で学び、後に樺太に帰り内淵《ナイブチ》のアイヌ教習所で教員を務めた。更にポーランドの民俗学者ブロニスワフ・ピウスツキからロシア語を学び、アイヌ語辞典を著すなど樺太アイヌの中でも著名な人物である。対雁学校で学んだアイヌは樺太帰島後に各地でリーダー的役割を果たしている。

千徳太郎治の父、岩船瀬兵衛は秋田県毛馬内（現鹿角市）の出身で明治二年、樺太開拓のため、岡本監輔《おかもとかんすけ》に従ってナイブチに入植し、アイヌ女性タラトンマと結婚、太郎治をもうけている。瀬兵衛は樺太千島交換条約後、対雁村の戸長を務めるなど、樺太からの移住アイヌのために尽力した長老である。太郎治の弟、清之助は山辺の親戚・山辺エキサの養子になっているのも不思議な縁である。

もう一人の隊員、花守信吉《はなもりしんきち》はアイヌ名シシラトカと言い敷香郡多来加《タライカ》の首長の末裔として生まれ、当集落の総代でもあった（『樺太アイヌ叢話』）。明治三九年（一九〇六）七月、浄土真宗本願寺大谷鏡如上人来島のとき随行し、花守の姓を与えられる。敷香支庁の給仕として勤め、成富支庁長の信頼も厚く、成富はどこに行くにも花守を伴うという強い主従関係で結ばれていた。当時給仕といえどもアイヌが日本の職場、特に官庁に勤めることはエリートとみなされていた。南極探検隊に加わったのも成富支庁長の勧めであった。

アイヌ出身でアイヌ語研究に大きな業績を残した知里真志保《ちりましほ》博士は、花守から多くの説話を聞き取り、よい記憶力を持った若者だったと評している（『知里真志保著作集』1）。

明治一二年（一八七九）および一九年（一八八六）にかけて、西南戦争から帰還した屯田兵によって札幌付近からコレラが流行、隣接する移住地対雁においても貧困に追い打ちをかけるように猛威をふるい三六八人が死亡している。これは移住者の四〇％を占めるという異常事態で、明治一九年（一八八六）一月から七月まで半年で数人であったものが、八月から急増し一日平均五人となり、一〇人を越す日が四回もあった。山辺も罹患したが幸い治癒した。山辺は自著『あいぬ物語』の中で「明治一九年の夏から秋まで段々激烈になって冬から春にかけて物が沈んでゆくように親戚の人や友達が後から後から私を置いて世を去った」と記している。まさに「屍臭部落を覆い葬列絶えず」という悲惨な状況だった。その中には移民の総代であった木下チコヒロなど中心人物の多くが病魔にたおれている。彼らの間には、先祖の墳墓の地を捨ててきた冥罰ではないかという噂までひろまった。

また、喜多章明はその著書『北海道アイヌ保護政策史』（一九三四年刊）で、コレラと天然痘の惨状を次のように述べている。

固より対雁部落以外に一人の知己故旧を持たぬ彼等として、逃げたとて身を寄せるべき処もなかった。――進退きわまった彼等は、石狩川口に出で舟に依って、旧郷樺太を指して逃げようと考えた。一同の足は期せずして石狩海岸へめざして飛んだ。――置捨てられたものは夢中になって後を追ふが、病患に堪えかねて途中でバタリバタリ斃れていった。海路逃げようとて舟の設備のある筈はない。石狩川口迄逃げては来たものの、何れも此處に停った。かくて病死する者、実に四百餘名に達し、移住土人の大半は対雁原野の露と消えた。嗚呼悲惨の極。

昭和六年（一九三一）八月、北海道に居残った樺太アイヌのひとり津山仁蔵が道庁から交付された資金を基に、対雁の公営墓地に「樺太移住旧土人先祖之墓」を建立し慰霊した（『対雁の碑』一八九頁）。疫病で亡くなった遺体は火葬に付されたと言うが、明治二三年九月、『エゾ地一周ひとり旅』の著者A・S・ランドーは来札のアイヌの墓地の様子を見て、悪臭がするところからみて遺体はほんの地下数インチに埋葬されたのではないかと記している（『エゾ地一周ひとり旅』二三八頁）。因みに後年死者の霊を慰めるため、現在の真願寺を誘致。境内に「乗佛本願生彼国」の碑を建立したのは対雁学校創設に尽力した上野正である。明治二二年五月、この真願寺において山辺は帰敬式をうけ真宗門徒となった（『北海道西本願寺』一一九頁）。

このように、次々と友人縁者を失った山辺は、再び生まれ故郷樺太に渡ることを決意する。古老から聞いた故郷の川や海には魚が溢れ、コタン（集落）には人の好いヘンケ（翁）やアハチ（媼）が平和に暮らしていたという話を思い出し、一層望郷の念を強くしたのではないだろうか。

明治二六年（一八九三）八月一三日、墓参という名目で渡航の許可を得た山辺は、川崎船（新潟県川崎浜製の遠洋向き漁船）に妻（名前不明）と息子弥代吉（又は八代吉）それに縁者の内藤忠兵衛（アイヌ名チペーカ）、その妻（ヨルサンマ）と娘淑子（フーレ）その他四人と漁具、米などを積み石狩の来札を船出した。時化と戦い二週間後、上陸を目前に難破するが、同乗していた家族と縁者を死力を尽くして救い、自分もなんとか死を免れて再び樺太の地（野登呂岬）を踏むことができた（山辺の樺太帰島は移住アイヌでは最初と言われている）。このときの苦労は筆舌に尽くせないと『あいぬ物語』（「難船」）に著している。

樺太に渡ったものの、ロシアの官憲は厳しく、生まれ故郷の弥満別《ヤマンベツ》もロシア人の集落となり、行く当てのない山辺たちは途方に暮れる。親切な漁場番屋の日本人に助けられるが、同胞である在住のアイヌたちは冷たかった。やむなく親戚がいるという東海岸の富内村《トンナイチャ》に行くことを決意。来札を船出してから一か月後、トンナイチャの総代東内忠蔵（アイヌ名ラマンテ）の家で初めて旅装を解いた。

金田一と山辺の出会いは明治四〇年（一九〇七）の夏、アイヌ語研究のために富内村《トンナイチャ》を訪れた時が最初で、随筆『思い出の人々』の中で山辺のことを「鬼を欺くごとく六尺ゆたかの風貌に驚き、ことばをまじえて、さらにその辞気礼譲の熟しているのに驚いた」と記している。『あいぬ物語』は山辺が樺太アイヌ語で話したのを金田一京助博士が片仮名で示し、それを日本文に訳したもので、山辺の生い立ちから南極探検までの半生を記した自叙伝である。『あいぬ物語』は二〇〇頁に及ぶ長編で、山辺の優れた記憶力には驚嘆せずにはいられない。

柳田国男（民俗学者）の勧めもあって柳田は明治三九年九月に樺太を旅行している（石井正己『柳田国男を語る』）。樺太アイヌ語研究のためトンナイチャを訪れた金田一京助は、その時の苦労を「片言を言うまで」という随筆に著している。若い言語学者が異郷の地で、皆目糸口を見いだせないまま過ぎていった三日目に、一つの単語「ヘマタ（なに？）」を子供たちから聞き出すまでのほのぼのとした情景が目にうかんでくる。この随筆は戦前、戦後を通じ広く教科書に掲載された。著書『心の小道をめぐって』のなかには柳田国男宛の樺太便りがあり、『あいぬ物語』の刊行に際しては、柳田本人が主催している雑誌『郷土研究』に、あたたかい紹介文を載せるなど、金田一との深い関わりを知ることができる。金田一は同郷の石川啄木を支援したことでも知られており、落帆の様子を詳しく話していた。

また、金田一はラマンテ翁からハウキ（英雄叙事詩ユーカラ）を聴取し、後に不明なところを山辺に質して『北蝦夷古謡遺篇』に著している。樺太では英雄の事蹟をうたった叙事詩をハウキという、老爺に育てられた英雄オタシユックルの話は有名である。ラマンテ翁は豪放磊落で、酒が入ると手に負えない乱暴者だったが、ハウキを語りだすと、別人のように真剣になり、その熱心さに金田一京助は圧倒されたという。ハウキは樺太アイヌにとって、民族の歴史であり、神聖な経典にも等しいものであった。

樺太と秋田県由利地方の因縁

山辺が帰島した明治二六年（一八九三）、樺太はロシアの領有であったが、ロシアは日本の樺太譲渡により最恵国待遇（樺太千島交換条約第六款）を与えていたため、日本人の営業する漁場がオホーツク海、カムチャッカ近海の各地にあった。秋田県象潟町《きさかたまち》の佐々木平次郎《ささきへいじろう》（屋号：角丁《かくちょう》）の漁場もそのひとつで、オホーツク海とトンナイ湖の接する所に番屋を持ち鰊、鮭、鱒の漁を営んでいた（『あいぬ物語』「角丁の番屋」）。

佐々木平次郎は白瀬南極探検隊長の出身地である金浦町《このうらまち》の初代町長、北能喜市郎《きたのきいちろう》の実弟で、隣町の象潟町の豪商、佐々木直治郎に見込まれて養子となり、樺太の漁場を末弟の佐藤平吉《さとうへいきち》と経営していた。長兄、北能喜市郎と白瀬矗は幼友達で腕白仲間だった。三兄弟は白瀬と山辺の人生に深くからんでいく。

白瀬の生まれた金浦は、日本海に面した天然の良港で古くから風待ち港として北前船などによる蝦夷地との交易船の出入りが多く、回船問屋として財を成す者もあった。金浦を中心とする海岸沿いの町村は、沿岸漁業も盛んで、地元だけでなく松前や樺太へ、多くの漁業者が渡っている。大正元年（一九一二）には金浦だけでも鰊、鮭、鱒漁に一一〇人が北海道（七六人）や樺太（三四人）方面に出かけたという記録があり、古いものでは寛文九年（一六六九）六月二三日、塩越《しおこし》（象潟町の旧名、金浦町の隣町）から蝦夷地の漁場に雇われて赴いた一八人（うち金浦一人）の漁夫がアイヌの反乱（シャクシャインの乱）に巻き込まれ、全員殺害されたという記録が象潟町蚶満寺《かんまんじ》の過去帳に残されている。この過去帳にはその他にも蝦夷地で死亡したと見られる漁夫の名前があり、近隣の寺の過去帳にも同じような記載が見られることから、蝦夷地との深い係わりを知ることができる（『象潟の文化』第四号）。

トンナイ湖のほとりに居をかまえた山辺は、角丁団（佐々木平次郎）の漁場で働く。和人の多くが、アイヌに対し不正な交換や搾取、過酷な労働を強いる中で、佐々木は誠実で面倒見が良く、山辺たちは漁具を借り受けて、捕れた魚を角丁の番屋に揚げ、米や着物などに替えていた。

角丁の漁場主　佐々木平次郎

「アイヌたちは佐々木氏を思うこと自分の縁者のように考えている」と『あいぬ物語』に記され、『佐々木平次郎伝』（昭和一二年［一九三七］八月刊）の中にも山辺の記述が見られるように、角丁の漁場と山辺たちは強い信頼関係で結ばれていた。アイヌにとって、良心的な漁場主は物資の豊富な供給者であり、また自分たちの生活の力強い保護者でもあった。ただ、角丁の漁場は例外と言ってよく、当時の多くの漁場主はアイヌにとって、横暴極まりなく自分たちを騙し搾取した人たち、という不信感が根強く残っていたことは否めない。

例えば、金田一京助の落帆滞在中の日記にも、漁場主の傍若無人ぶりが記されている。和人の漁場主が落帆の川岸に船で乗り付け、大宴会を開いて強制的にメノコ（アイヌの未婚女性）に酌をさせ一夜を求めるなど、酔いに任せた振舞いに山辺は居たたまれず、密漁の疑いもあって口論し喧嘩騒動になるが、巡査の仲介でどうにか治まったという記述がある。山辺の同族に対する愛情と正義感が横暴を許せなかったと言えるだろう。

山辺が帰島して一〇年を経過していた。「誰の心も日本に向いているのに、身体はロシアの国にある」と複雑な心境を語っている（『あいぬ物語』「一諾」）。

ロシアは、千島との交換後の樺太島に明治一四年（一八八一）、流刑植民政策をとり、政治犯や凶悪犯を毎年五〇〇〜六〇〇〇人、多い時は一、〇〇〇人を六カ所の監獄に送り込んできた（宮崎雷八『樺太史物語』）。この中には後に山辺、花守から樺太の説話や古謡を聴取し、千徳太郎治にロシア語を教えたポーランドの民族学者ブロニスワフ・ピウスツキやロシア革命の指導者レーニンの兄アレクサンドル・ウリヤーノフもいた。彼らは明治二〇年（一八八七）にロシア皇帝アレクサンドル三世暗殺計画に連座したとして、アレクサンドロフスク・サハリンスキーの監獄に送り込まれたのである。

ロシアの文豪アントン・チェーホフは『サガレン紀行』の中で、樺太では何でも鎖に繋がれているると極言したように、足枷つきの囚人達が重い鎖を引きずりながら苛酷な労働を強いられていた。サハリンという地名は「生き地獄」の別名であったという。私たちが平成一二年（二〇〇〇）サハリンを訪問し、ユジノサハリンスク（日本名豊原）のサハリン博物館（日本建築の旧樺太庁博物館）を見学したとき、アレクサンドロフスク・サハリンスキーの監獄で使用されていたという錆び付いた鉄の足枷を見ることができた。凍てついた闇の奥から囚人たちの引き摺る重い鎖の音が聞こえてくるようであった。

日露戦争

明治三七年（一九〇四）二月、日露戦争が勃発し、アニワ湾女麗（メレイ）に上陸した日本軍とロシア軍の間で激しい戦闘になった。ロシア兵が各番屋に火をかけたため、角丁の漁場は三棟ある番屋と倉庫を全て焼失し、壊滅的な損害を受ける。

アレクサンドロスク・サハリンスキーの監獄で使用された足枷（サハリン博物館）

山辺は村人を結束し、日本軍のために物資の輸送や現地案内をし、山辺自らも斥候となって参戦し勝利に導いた。佐々木氏との信頼関係が日本軍に加担させたことは言うまでもない。軍では使役賃金の支給を伝えるが、日本の恩義に報いただけと山辺は固辞している。山辺は後に日露戦争の功績として、アイヌでは初めて勲八等瑞宝章に叙せられ、行賞賜金七〇円を受けたが、賜金については即座に彼の出身地、富内《トンナイ》村《チャ》に寄付している（『樺太日日新聞』大正元年［一九一二］一一月二三日）。

このような山辺たちアイヌが命を賭して日本に貢献したにもかかわらず、政府のアイヌに対する政策は以前と変わらず、むしろ後退の感さえあった。明治四一年（一九〇八）に樺太方長官になった平岡定太郎（三島由紀夫の祖父）はアイヌ放任論を展開、「現代アイヌは何等人類界の幸福に貢献する所なし、故に其の生存、滅亡は自然の儘に放任し、特に人為を以て不自然なる保存の必要なく、又保存せんとするは不可能に属すと云うに在り」と述べている。これに対し「其の保護発達を図るは人類としての責務なり――日本民族は古来より此の民族と種々の関係を有したるものなれば、此の民族の実質を失なはば、唯に情宜に反するのみならず、日本古代史研究上、大なる不利あればなり」と正論を吐く者もいた（青山東園著『極北の別天地　樺太案内』）。

佐々木平次郎は、明治三七年（一九〇四）一一月、日露戦争に出征し、中国黒溝台《こっこうだい》の会戦に従軍。同じ黒溝台の戦場に、千島探検から戻った白瀬も衛生予備少尉として従軍していた。白瀬はこの戦で右手と胸部に負傷したが、大事には至らず、武勲をなして中尉に昇進する。

日露戦争中、樺太の漁場を離れて函館にいた佐々木平次郎の末弟佐藤平吉《さとうへいきち》は、山辺たちの生活を気遣い、函館から米六〇俵を送るなど、物心両面から援助の手を差し伸べており、山辺は「この親切は何よりもありがたかった」と感謝の念を込めて語っている（『あいぬ物語』「再会」）。

アイヌ語研究のため富内村《トンナイチャ》に逗留していた金田一京助の日記にも、角丁漁場の佐藤平吉が訪れ、写真を持参したことが記されており、山辺たち村民との深い親交があったことを知ることができる。

明治三八年（一九〇五）の夏、日露戦争後の樺太は徐々に活気を取り戻していくが、アイヌにとってはロシア時代よりむしろ苦しい生活を強いられた。千徳太郎治がピウスツキに宛てた手紙がある。


我々は今は本当によくない暮らしをしています。以前はロシア人がいて少しは良い暮らしができました。けれども今は本当に（日本人のせいで）よくない暮らしをしています。日本人の役人は、ただアイヌ人に日本人の文化、生活習慣をさせたがっていますが、アイヌの人たちは今すぐに了解するのを断りました（一九〇六年八月一一日付書簡）。


再び日本領になったものの、日本人の進出によってアイヌ所有の漁場は狭められ、生活の苦しさを訴えている。また生活習慣まで変えさせようとする日本政府に対する抵抗の表れと言ってもよく、日露両国間で翻弄されるアイヌの心情を吐露している。

日露戦争は終息したが、帰国の遅い佐々木平次郎に代わり、実兄の北能喜市郎《きたのきいちろう》は九月、金浦町長の職を辞して角丁漁場復興のため樺太に渡っている。この時、大泊から角丁漁場の番屋のあった東海岸の富内村《トンナイチャ》まで道案内をしたのが山辺であった。途中北能ははぐれて野宿するというアクシデントがあったが無事番屋に着くことができた（『北能喜一郎伝』昭和一八年刊）。縁とは不思議なものである。

戦前の活気を取り戻した樺太には、多くの日本人が乗り込んできた。当時の樺太の漁場は内地で食い詰めたあぶれ者や浮浪の輩が多く集まり、毎日喧嘩、賭博騒動で流血の惨事が絶えなかったという。漁場主にとっては、海上の時化に遭うと同様に悩みの種で心労が絶えなかった。帰国した佐々木平次郎は、これらの漁夫を機会あるごとに集め、人の和を教え諭し、水産立国としての漁夫の教育に努めたという。

余談になるが、佐々木平次郎は、大正三年（一九一四）函館区会議員を振り出しに、大正六年（一九一七）には函館選挙区から衆議院議員選に立候補し、地元の古参議員で豪商の平出喜三郎《ひらできさぶろう》を僅差で破り初当選している。その後、六期一八年間代議士を勤め、決算委員長や外務省事務嘱託を歴任、日露との漁業交渉や北洋漁業の振興に尽力した（『佐々木平次郎伝』）。昭和五年（一九三〇）の五期目の総選挙には、佐々木の親友で白瀬隊の後援会幹事を務めた田中舎身居士（弘之）が、東京から応援のため函館を訪れ、熱弁を振るった。

一方、平出喜三郎は郡司《ぐんじ》大尉と白瀬が千島探検（明治二六年［一八九三］）の際、難破により船を無くして困窮していたのを見て、所有する錦旗丸で函館から択捉島への渡航に便宜をはかったほか、南京豆六俵を贈るなど郡司たちに援助の手を差し伸べている。

日露戦争後、富内村《トンナイチャ》の総代になった山辺は、学校建設に奔走する。山辺は同族が文盲なるがゆえに騙され、あるいは苛酷な労働を強いられ、差別と貧困にあえぐ悲劇を聞くたびに、同族の自立と教育の重要性を痛感する。「アイヌを救うものは、決してなまやさしい慈善などではない。宗教でもない。善政でもない。ただ教育だ」という信念を強くし、年寄りは無理としても、せめて子供たちにだけでも教育を施したいと、自宅を学校の代わりにして子弟の教育に当たった（金田一京助『ユーカラの人びと』）。

学校の建設には角丁漁場は率先して三〇〇円（建設費のほぼ三分の一、『極北の別天地』）を寄付するとともに、他の漁場主にも、応分の寄付を呼びかけている。明治四二年（一九〇九）、他の漁場主の協力もあって、樺太での最初の学校が落帆の地に見事に完成した。樺太アイヌ語の研究で落帆《オチヨポ》村《ツカ》を訪れていた言語学者の金田一京助は、山辺の熱意に感動し、その学校の教師になりたいと思うほどだった（『金田一京助随筆選集』「思い出の人々」）。

ブロニスワ・ピウスツキ――ポーランド民俗学者が残したもの

ブロニスワフ・ピウスツキ（一八六六〜一九一八）はポーランドの民俗学者で一八八七年、ロシア皇帝アレクサンドル三世の暗殺未遂事件に加わったとして樺太流刑一五年の刑をうけたが、一八九七年、恩赦によって減刑となり刑を了える。移住民の資格を取ったB・ピウスツキは、ロシア科学アカデミーの委嘱で樺太調査を実施。トンナイチャ周辺において樺太説話やハウキ（北海道アイヌではユーカラ）などの聞き取り調査をする（先川信一郎『ロウ管の歌』「ある樺太流刑者の足跡」）。

Ｂ・ピウスツキの弟ユゼフ・ピウスツキ（一八六七〜一九三五）は、ポーランド独立に貢献した人物で、後年「ポーランド建国の父」と言われた英雄である。Ｂ・ピウスツキも正義感が強く、博愛心に富んでいた。少数民族のアイヌに強い関心を寄せ、愛情をもって接したため、北海道アイヌの研究で有名なイギリス人宣教師ジョン・バチェラーとともに樺太アイヌの間では尊敬されていた。角丁漁場のあるトンナイチャは、樺太の中でも古伝や古謡に通ずる人が多くいることで有名で、山辺もその一人だった。山辺と一緒に川崎船で北海道対雁村から樺太に帰島した内藤忠兵衛（アイヌ名チペーカ）とその妻ヨルサンマもＢ・ピウスツキに数編の説話を口述している。

Ｂ・ピウスツキは祖国ポーランドが、ロシア、オーストリア、プロイセン（現ドイツ北東部）の分割支配下におかれ、母国語を話すことを禁止されていた苦い経験から、アイヌ民族も同化政策によって、独自の風習とアイヌ語を禁じられ、日本語を強要されていることを思うと、同じ境遇のアイヌに深い共感を覚えたにちがいない。北海道アイヌ語より古いといわれる樺太アイヌ語と、その説話やハウキなどの消滅を一層危惧し、研究心をかきたてられたと思われる。

彼がトンナイチャの古老から聴取し、ロウ管に吹き込んだハウキやオイナ（カムイユーカラ）、それにイフンケ（子守歌）などは七三本にも及び、彼の死後、奇跡的にポーランドのボズナニ大学言語学研究所で昭和五八年（一九八三）発見、再生され話題になった。ピウスツキは文学者の二葉亭《ふたばてい》四迷《しめい》や民族学者の鳥居《とりい》龍蔵《りゅうぞう》とも親交を深め、政治家では大隈重信や山形有朋とも接触している。

B・ピウスツキにはもう一つの悲話がある。アイヌコタンでハウキや説話の調査をしていたピウスツキは、樺太アイヌの総元締めとまで言われた酋長バフンケ（日本名　木村愛吉）の姪で美人のチュフサンマと恋におち結婚。明治三六年（一九〇三）には長男（助造）を、三八年には長女（キヨ）の二人の子供をもうけたが、幸せな時は長く続かなかった。明治三八年（一九〇五）六月樺太を離れている。

ピウスツキの像

> 二人の決別の日がついに来た。粉雪が霏霏と降っていた。二人は永久の別れを無言のうちに込めてコタンのはずれに立った。（中略）アレクサンドロスクを目指してソリは駆け出した。北へ、北へ、故国を去って行くピウスツキの姿は、疾駆するソリと共についに雪煙のかなたに消えてしまった。チュフサンマの気持ちはどうであろう。（『ロウ管の歌』八四頁）

祖国ポーランドでは革命の嵐が吹き荒れていた。弟ユゼフ・ピウスツキが命をかけて独立運動に奔走しているのを聞くたびに、祖国愛の強いB・ピウスツキにとって座視することはできなかったのであろうか。B・ピウスツキは日露戦争後帰国しスイスやフランスで難民救済や独立運動を続けていたが、一九一八年五月一七日パリのセーヌ河ミラボー橋のたもとで謎の自殺をとげている。彼の死後数カ月たった一一月、第一次世界大戦は終わり、ポーランド共和国は独立した。

文字を持たないアイヌにとって、記憶力は、人物評価のバロメーターであり、伝統の継承であり、教育文化そのものであった。ハウキやオイナ（ユーカラ）にみる樺太アイヌの口承文芸は、炉を囲んで永い間受け継がれ、高度に発達したもので彼らの優れた記憶力なくしてありえない。

ハウキやオイナはアイヌ民族の伝承する大叙事詩で、アイヌの英雄神ポイヤウンぺの物語は、ギリシャの「イリアス」や「オデッュセイア」などとともに世界に誇りうる文芸作品である。

B・ピウスツキは山辺たちからの説話などの聴取のため、角丁漁場を訪れることにより一層佐々木・佐藤兄弟と親交を深めたものと思われる。その証しに明治三六年（一九〇三）富内村《トンナイチャ》で撮った佐藤平吉、ピウスツキ、千徳太郎治、山辺安之助を中心に数人のアイヌの集合写真がある。貴重な記録画像であると同時に角丁漁場とピウスツキ、それにアイヌ達の深いかかわりあいを裏付ける証拠である。

私にはピウスツキのアイヌの教育に対する情熱が角丁漁場を動かし、率先して学校建設に多額の寄付をするという慈善行為に導いたものと思われる。もちろん、佐々木・佐藤兄弟の山辺たちアイヌに対する理解と愛情があったことは言うまでもない。千徳太郎治がロシアとの結びつきを強めた

前列右から千徳太郎治、B・ピウスツキ、佐藤平吉、山辺安之助

のに対し、山辺は日本人漁業者との関係を深めた。

南極探検隊長　白瀬 矗

白瀬《しらせ》矗《のぶ》（一八六一〜一九四六）の生家は秋田県金浦村（現にかほ市金浦）の浄土真宗大谷派「法寿山　浄蓮寺」で、同寺の縁起によると開祖 釈 正宗《しゃくしょうしゅう》は近江源氏の一族と言われ本願寺一一世顕如聖人（一五四三〜一五九二）の弟子となったが、天正八年、織田信長の石山合戦で本願寺方が破れ、釈正宗は同行衆とともに船で北陸海岸の羽咋《はくい》に落ち延び、「白瀬」という地に居をかまえ布教に専念する。白瀬の姓もこの地に因んだものと思われる。数年後には再び信長の追手を逃れ佐渡に渡り、その後、松前（北海道）を目指すが、途中天然の良港であった金浦に寄港したところ、偶然にも知人に会い、勧めもあって草庵を結んだのが浄蓮寺の開祖とされている。

白瀬矗は文久元年（一八六一）六月一三日、秋田県由利郡金浦村浄蓮寺第一三世住職白瀬知道・妻マキエの長男として生まれる。幼名を知教といい、幼少のころは手に負えない腕白で、母マキエにとって頭痛の種だった。一一歳の時、寺子屋の先生佐々木節斎に師事する。節斎は国学者であるとともに国粋主義者で日本民族の優秀さを事あるごとに寺子に説いた。ただ、米大陸を発見したコロンブスや世界一周したマゼランのような探検家が日本にいないことを嘆いた。白瀬は節斎の話を聞き「西洋人に出来て日本人にできないわけがない。人が鍬や鎌で雑草を切り揃えた跡を、何の苦労もなく坦々として行くのは大嫌いだ。蛇が出ようが、熊が出ようが、前人未踏の境を跋渉《ばっしょう》したい」と思った。節斎の教えが白瀬の冒険心に火をつけたと言えなくもない。

明治一二年（一八七九）上京し、僧侶の修行を始めるも、僧職になっては探検ができないと、寺の相続を弟の知行《ちぎょう》に譲り、日比谷の陸軍教導団騎兵科に入団した。そのとき、「知教」という名を「矗《のぶ》」に改めている。この改名は寺の相続を放棄し、僧職を離れることを意味し、極地探検に臨む不退転の気持ちを確固としたといってよい。

明治二六年（一八九三）、将来の北極探検に備え、郡司成忠海軍大尉の千島探検隊に一隊員として参加し、占守島《シュムシュトウ》で二度の越冬生活を送るが、六人のうち三人の隊員が野菜不足による壊血病で死亡するという悲惨なものだった（白瀬矗『千島探検録』）。

明治四一年（一九〇八）四六人のイヌイット（カナダエスキモー）隊員と二五〇頭のエスキモー犬を連れて八度目の北極点征服に出発したアメリカの探検家ピアリーは、翌四二年（一九〇九）四月六日ついに北極点に立った（加宮貴一『南北極地探検記』）。

二三年間の執念ともいえる壮挙であった。北極点到達を新聞で知った白瀬は大きなショックを受ける。以後、目標を北極探検から南極探検へと一八〇度方向転換する。

白瀬　矗隊長

第二章　南極探検への道

南極探検への始動

白瀬は明治四三年（一九一〇）一月、かねてから練っていた南極探検計画を、当時の貴族院議員で東京日日新聞（現毎日新聞）社長千頭清臣《ちかみきよおみ》に打ち明けた。白瀬が宮城県庁に勤めていたころ（明治三二年一〇月〜明治三五年六月）、千頭は宮城県知事の職にあり、ふたりは旧知の間柄であった。千頭は白瀬の計画を知己の大隈重信伯爵に話したところ、好奇心旺盛な大隈は、白瀬と会い並々ならぬ決意と千島探検の実体験を聞き、南極探検の最適任者として支援を約束した。

これに力を得た白瀬は直ちに貴族院議長と衆議院議長に対し「南極探検費用（一〇万円）下附請願書」を提出した。その主旨は「国土領域の拡大と国の富強」というもので

一、一九世紀末から二〇世紀初頭にかけて欧米列強がアフリカ、アジア、南米の発展途上国を植民地化した結果、残された領地は地の果ての南極しかない。

二、武力によって侵略した領土は、戦争に負ければ返還しなければならないが、探検によって未

踏の地を開拓したのであれば、永久に自国の領土となる。

三、日本が欧米列強より先に南極探検に成功することで、国威が発揚される。

から成っている。

請願は衆議院を無事通過したものの、貴族院では三万円に減額可決。それも白瀬が大蔵省に交渉にゆくと、大蔵省の役人は、学術調査のための探検であるから文部省に行って交渉せよと言い、文部省に行くと、金は大蔵省で出すのだからそちらへ行け、という具合で、とうとう政府は一銭の援助もしなかった。白瀬はこのときほど日本の官僚機構に絶望し、嫌悪感を禁じ得なかったと『南極探検』に記している。

古来、日本では儒教精神が強く、冒険や探検は人の道にはずれた行為とみなされ、白瀬中尉らの事業を正当に評価しようとしなかった。後に述べる軍艦「磐城《ばんじょう》（日本人の設計による最初の軍艦）」の払い下げの拒絶も、基本的には政府の事なかれ主義のあらわれといってよいだろう。

もしくは同盟を結んでいた列強イギリスの派遣するスコット隊と極点到達を張り合うことが、外交上好ましくないと考えたのか。また、当時の政情を考えると、外野にあった後援会長大隈重信と藩閥内閣桂太郎首相との確執が全く関係ないとは言い切れない。

国からの補助金も得られず、資金の確保に苦しんでいる白瀬を助けたのが、雑誌『探検世界』（成功雑誌社）社長の村上濁浪《むらかみだくろう》だった。村上は白瀬の南極探検を国民に訴え、探検費用を募ることを提案する。

明治四三年（一九一〇）七月五日、南極探検計画発表演説会が東京・神田の錦輝館で開かれた。開場時には錦輝館前に長蛇の列ができるという盛況で、村上濁浪の開会の辞に次いで、内蒙古を探検し「蒙古王」の異名をとった佐々木照山（安五郎）代議士は「外国から日本人は、無闇に戦争を好む人種だと大いに恐れられている。排日の熱を冷やすには、日本人はこのような世界的文明的な事業を進め、進取的勇気あることを示す必要がある。それを一向冷視する政府の無見識と学者側の無熱心なるは憤慨にたえぬ」と説き、さらに「イサベラ女王はコロンブスのため、ダイヤモンドを売って船を求めた。今ここにコロンブス白瀬中尉が現れた。イサベラは何処にいるか、日本のイサベラ出でよ」と呼びかけ、大隈は「国家的、男性的快事業を援けよ」と訴えると満場は興奮のるつぼに化したという（「探検世界」明治四三年八月号・成功雑誌社）。

演説会の最後に野村直吉《のむらなおきち》船長が航路略図を示し、隊員の安全を保証し無事帰還を宣言する。野村の探検船船長は二日前に決定しており、彼は「給料などは望まぬ。探検船の船長という名誉を全うすれば十分である」と述べ、白瀬を感激させた（白瀬京子『雪原《ゆきはら》へゆく』）。

野村の郷里は石川県羽咋一ノ宮で、白瀬の生家である浄蓮寺の開基・釈正宗も織田信長の一向宗弾圧を逃れ、同じ能登の国羽咋白瀬（現石川県羽咋市白瀬）に一時居を構えた因縁深い土地である。羽咋は北前船の船頭を輩出したところで、野村もその家系の出身であった。

後援会が設立され、当初、乃木希典《のぎまれすけ》陸軍大将を会長に推挙したが、学習院長であることを理由に辞退され、大隈重信伯爵が後援会会長に就任することになった。大隈重信が後援会長になったことにより白瀬たちの南極探検に対する世間の認識や評価が大きく進展し、とりわけ疑い深い目でみていた新聞社が掌を返すように態度を変えた。朝日新聞社は探検隊に五、〇〇〇円の寄附を約束。同時に「義援金募集」のキャンペーンを東京、大阪の両朝日新聞紙面に展開する。これに追随するように他の新聞社や雑誌社も同調し、探検支援の輪は大きく広がっていった。

明治四三年（一九一〇）七月一九日の秋田魁新報は次のような義金募集の記事を掲載している。

本県由利郡金浦出身の白瀬中尉は、英国のスコット大佐と前後して南極を探検し、前人未到の極地に日章旗を翻さんとす。真に壮烈勇快の大挙にして、日本男児、東北健児の面目なり。此の国際的競争に輸贏《ゆえい》を決せんとす。一に国民の同情に竢《ま》たざるを得ず。而して東都に於いて既に義金募集の挙あり、中尉と貫籍を同じうする縣民にして、豈《あ》に袖手傍観《しょうしゅぼうかん》すべけんや。希はくは江湖の仁人義士奮然来援せられ、振古未曾有の壮挙に對し、餘栄を頒たれんことを。

一、義金は一口金拾践以上とす。
二、締切は七月三十一日とす。
三、新聞広告を以て、領収証に代ふ。

南極探検発表演説会に詰めかけた人々

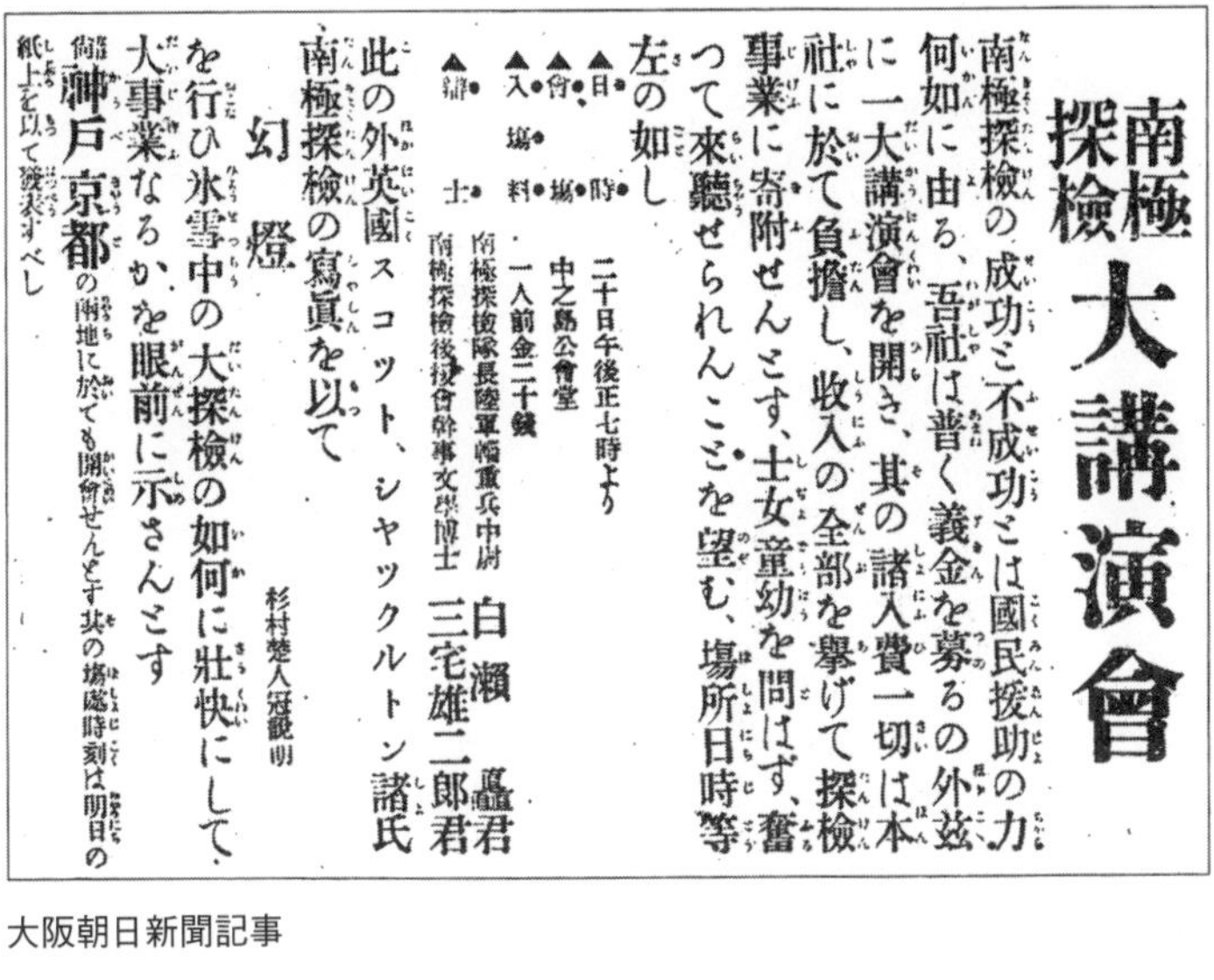

南極探検 大講演會

南極《なんきょく》探検《たんけん》の成功《せいこう》と不成功《ふせいこう》とは國民《こくみん》援助《えんじょ》の力《ちから》
何如《いかん》に由《よ》る、吾社《わがしゃ》は普《あまね》く義金《ぎきん》を募《つの》るの外《ほか》茲《ここ》
に一大講演會《いちだいかうえんくわい》を開《ひら》き、其《そ》の諸入費《しょにふひ》一切《さい》は本《ほん》
社《しゃ》に於《おい》て負擔《ふたん》し、收入《しうにふ》の全部《ぜんぶ》を擧《あ》げて探檢《たんけん》
事業《じげふ》に寄附《きふ》せんとす、士女童幼《しぢょどうよう》を問《と》はず、奮《ふる》
つて來聽《らいちゃう》せられんことを望《のぞ》む、場所日時《ばしょにちじ》等《とう》
左《さ》の如《ごと》し

▲日時● 二十日午後正七時より
▲會場● 中之島公會堂
▲入場料● 一人前金二十錢
▲辯士● 南極探検隊長陸軍輜重兵中尉 白瀬矗君
南極探検後援會幹事文學博士 三宅雄二郎君

此《こ》の外《ほか》英國《えいこく》スコット、シャックルトン諸氏《しょし》
南極探検《なんきょくたんけん》の寫眞《しゃしん》を以《もっ》て
幻燈 杉村楚人冠說明
を行《おこな》ひ氷雪中《ひょうせつちゅう》の大探檢《だいたんけん》の如何《いか》に壯快《さうくわい》にして
大事業《だいじげふ》なるかを眼前《がんぜん》に示《しめ》さんとす
尚《なほ》神戸《かうべ》京都《きゃうと》の各地《かくち》に於《おい》ても開催《かいさい》せんとす其《そ》の場處時刻《ばしょじこく》は明日《みゃうにち》の
紙上《しじゃう》を以《もっ》て發表《はっぺう》すべし

大阪朝日新聞記事

右記と同時に後援会は各新聞紙上に隊員募集を次のように発表した。

一、身体強健にして身長五尺二寸以上、年齢二十五歳以上四十歳未満の者にして、堅忍不抜の精神を有し、且つ多量の飲酒をせず、歯力強健にして梅干しの種を砕き得るもの。
二、家族の係累なく、予め関係者の承諾を得、更に後顧の憂いなき者。
三、現に兵役に関係なき者。
四、所要の隊員は五名とす、内理学専攻者一名、天文学専攻者一名、労働者、大工、鍛治各一名とす。

新聞、雑誌による世論づくりは大成功を収め、隊員の応募は三〇〇人以上にのぼり、中には血判書をもって志願する者もあったという。白瀬矗の弟の孫で『雪原へゆく』の著者白瀬京子は、この時期の日本人の心情を「国際列強に対するライバル意識が尖鋭化している背景のもとで、よくもわるくも日本、または日本人、という帰属意識で凝固する時代であったといえよう」と述べている。そして国民のこうした支援は、政府の掛け声なしに国民が一致協力した最初の事例であったと評する人もいる。

こうまでして白瀬を南極探検に駆り立てたのは、いったい何であったろうか。

まず、前人未踏の境を跋渉したいという旺盛な好奇心。西洋人に出来て何故日本人にできないのか、というライバル意識。それに探検家としての素地である頑健な体と強靭な精神力が、極地探検という究極の目的に突き進んでいったのではないだろうか。「人間は目的に向かって剛直にすすむべきものである」とは矗の言葉である。そして彼が生まれ育った金浦という東北の厳しい自然環境を抜きにしては考えられない。

白瀬は『私の南極記』の中で「前には日本海の怒涛の響き、後ろに狐狼の声を聞きながら育てられた私は、いつの間にか物に動ぜぬ気性と艱難に打ちかつ意志の強さを授けられた。生まれつきのバンカラで冒険好きに加えて、峻烈な北国の自然の感化を受け、大きくなるにつれて、ますますその特性を発揮し、幾たびか生死の境をさまよい、とうとう南極にまで出かけるようになったのである」と述べている。もちろん、寺という一般家庭とは異なる生活環境も、白瀬の精神錬磨に大きな影響を与えたに違いない。それに浄土真宗本願寺門主大谷光瑞《おおたにこうずい》師のシルクロードの探検（一九〇二～一九一四）にも少なからず刺激されたのではないだろうか。

それに何といっても、明治という時代である。明治維新という大革命はすべてを一新した。それまで目隠しされていた徳川時代から、国民の目は一気に海外にまで向けられるようになった。日清・日露の戦勝は世界を驚嘆させ、世界の一流国にのし上がったのである。「富国強兵」をスローガンに政治家は国家意識に燃え、軍人は自衛力の増強充実に寝食を忘れて奔走した。そして何よりも青年たちが大きな夢をもったことである。封建時代の鬱積した若いエネルギーが、国運の上昇とともに海外へと飛びだそうとしていた。明治は日本の青春時代と言われるように、青年たちは将来に向かって大望を抱いた時代でもあった。

明治の三大壮挙といわれる郡司大尉の千島探検（白瀬も参加）、福島中佐のシベリア単騎横断、そして白瀬中尉の南極探検は、その表れといってよいだろう。

出航

明治四三年（一九一〇）の夏、白瀬隊は資金不足もさることながら、探検用船に確保に苦労していた。当初、軍艦「磐城」を予定していたが、国費で建造した船を個人の企てに貸すのはよくないという意見と、修理に多額の費用がかかるという理由で諦めざるを得なかった。しかし、根底には白瀬が陸軍出身のため海軍の協力が得られなかったというのが真実のように思う。これを裏付けるように、ときの海軍大臣斎藤実《さいとうまこと》と海軍次官財部彪《たからべあきら》は南極探検賛成者名簿に署名することを拒否している（野村船長の日記、明治四三年七月二〇日）。

また海防艦「松島」（四二七トン）が明治二八年（一八九五）二月二八日、千島方面を哨戒中、国後島白糠湾で流氷のため推進器を損傷して漂流した例をあげ、「軍艦ですら氷海を損ね危険を感じ引き返しているのに、陸軍輜重兵の軍歴しかない白瀬中尉が小型帆船で南極の氷海にどこまで戦えるか疑問である」と疑問視するなど、苦闘は海より陸上の方が凄かったと野村船長は後日語っている。そして、当時の桂太郎首相は人を介して「磐城」の払い下げを拒否することを伝えた。（我孫

開南丸

子市教育委員会『白瀬中尉の南極探検と楚人冠』）
この「磐城」は郡司大尉と白瀬が千島探検の際、捨子古丹島《シャスコタン》から占守島《シュムシュ》に輸送した軍艦である。
難産の末決定した「第二報效丸《ほうこうまる》」（後に開南《かいなん》丸《まる》と改名、バーカンティン型木造機帆船）は「磐城」の六五九トンの三分の一にも満たない一九九トンの木造帆船で、鮭、鱒を運ぶ荷送船だった。探検船の縮小は大きな波紋を呼び、これまで募金や報道を通じて積極的に協力してきた朝日新聞が手を引き、血判まで押して応募した隊員までが雲隠れする始末だった。また、ヘラルド新聞社（本社ニューヨーク）の日本駐在員（アメリカ人）が白瀬隊に参加する予定であったが、小さい開南丸を見て取りやめたという話もある。探検船の縮小は計画変更を余儀なくされ、極点到達のために買収されていた満州馬は搭載できず急遽カラフト犬に変更になった。

カラフト犬

カラフト犬は、樺太は半島ではなく離島であることを立証した間宮林蔵の『北蝦夷図説』に「此島の夷生産の第一事となすものは犬なり。貧賤の夷は其失費に堪ざれば是を養ふことあたはざれども、富貴の者は家々是を置ざるものなし」と記されているように、樺太では冬季の交通機関（犬橇）として無くてはならないものだった（間宮林蔵のカラフト探検は文化五年［一八〇八］と六年）。

また、後に報知新聞の主筆となった栗本鋤雲が文久二年（一八六二）に北蝦夷（樺太）で越年し、アイヌの犬橇に乗ったという話がある。近年では南極第一次越冬隊が昭和基地に置き去りにし、翌年生き残っていたタローとジローに再会したのは有名で、人間に従順だけでなく耐寒性に優れ、体重も四〇キロ以上という大型犬で牽引力も強く、樺太アイヌの交通機関としてばかりでなく、木材の搬出や河岸の魚の輸送に使用されていた労働犬でもあった。

先年、私は稚内市に住むカラフト犬保存会の阿部勇会長に話を聞くことができた。以前は行商のリヤカーを曳いたり、橇を曳いて北国の人々の生活を助けていたカラフト犬も、車の普及によって今や絶滅寸前状況にあるという。阿部さんは平成一二年（二〇〇〇）三月、サハリンのロシア人とカラフト犬一二頭の曳く犬橇で間宮海峡三〇〇キロを横断している。

明治四三年（一九一〇）八月、北辺の地、樺太にも南極探検の話が伝わってきた。後援会では樺太日日新聞を通じて、カラフト犬三〇頭を先導犬一五円、他は三円という値段で買い取ることが

カラフト犬

報じられ、「落帆村《オチヨポッカ》」など四カ村の総代になっていた山辺安之助は自分が飼育している五頭と、村人を説得して買収した一五頭の二〇頭を集めた（ちなみに当時の小学校の教員の初任給は一二円位である）。富内村の警察からアイヌが付き添って東京へ送るように依頼され、山辺はその任に当たることになった。しかしこの大型のカラフト犬を誰が御するのだろうかと考えたとき、山辺は日本が世界の列強を相手にする極地探検という競争に少しでも自分が力になれればと思った。

山辺はカラフト犬について樺太日日新聞社のインタビューに次のように語っている。

今度樺太から連れてきた犬は強壮で、年齢は三歳から六歳までの白、黒、ぶちの三種で、樺太日日新聞社が探検隊の壮挙に賛同して、多くの同志から募集したものです。これらは樺太東海岸富内村の産から選びました。樺太では犬を使用するのは、たいがい冬の期間で、雪の中を東海岸から西海岸まで二〇里もあるところを重い荷を載せた橇を何の苦もなく曳き、北海の荒野の急坂でも道を開き、荷物を運搬し自由自在に駆け回るので冬の交通機関はこれらの犬によって保たれています。ときには、山中で熊の足跡を発見すると鋭敏な臭覚で周辺を探索し、熊の姿を見れば身を躍らせて飛びかかり、死ぬまで奮闘します。その勇敢な姿、雄々しい働きは内地の犬には見られないでしょう。このような精悍な性質でも一度人に慣れると、首をすり付け、尾を振って慕ってきます。私の飼育していた五頭の犬は実の子供のように思っています。樺太出発からほぼ二カ月の間二〇頭の犬と起居を共にして、さらに数千里の波濤を蹴って南極の地を踏むかと思えば何ともいえぬ感にうたれます

このように述べ、凛々たる勇気を眉宇の間に現していたと樺太日日新聞（明治四三年一一月二三日）は報じている。

日露戦争を生き抜き、子供たちのために学校を建設した山辺は、もう一度日本のために働いて死ぬのであれば本望だと述べ、探検に加わることを決意する。

村人からは「アイヌになくてはならない人物だから危険な所にやってはならない」という意見もあったが、同時にアイヌが日本の南極探検に貢献することによって、アイヌが見直され、同族の地位向上に繋がるのであればと、部落こぞって協力することに決めた。それはある意味では、それま

で続いてきた差別や抑圧の苦しみから少しでも逃れるための苦渋の選択でもあった。トンナイ地方では探検隊の橇用引き犬や橇だけでなく、防寒具に使用した子犬の毛皮を提供したとも言われ、山辺に対する厚い期待をうかがい知ることができる。

山辺は息子の弥代吉と甥の富治に後のことを託すと遺言し、富内村《トンナイチャ》を出発したのは明治四三年（一九一〇）九月二五日。村の年寄りたちは御馳走をつくり別れを惜しみ、内藤忠兵衛（チペーカ）たち三人は富内湖を丸木舟でキムナイまで送ってくれた。

一一月五日、カラフト犬二〇頭を引き連れて横浜に到着するが、そこで聞いたのは、この南極探検は国家事業ではないということだった。そして旧知の金田一博士のところで、参加を断ってきたという地質学者から探検参加を取りやめるよう勧められるが、「昨日承諾し、今日違約したら「やっぱりアイヌだなぁ」とさげすまれる。それは我慢できない」と決意を変えなかった。その様子を、金田一博士は「全身から光が差すようだった」と語っている（金田一京助『ユーカラの人びと』）。

もう一人のアイヌ隊員花守信吉は敷香《シスカ》支庁の用務員をしていたが、成富《なりとみ》敷香支庁長の勧めもあり、南極探検隊に加わることを決めている。支庁長の寄贈した五頭と函館新聞が募集した五頭のカラフト犬を引き連れて横浜に到着したのは明治四三年（一九一〇）一一月一一日だった。

角材と鉄板で船底を補強し、一八馬力の中古エンジンを取り付けた第二報效丸を、元帥海軍大将東郷平八郎《とうごうへいはちろう》が「開南丸《かいなんまる》」と命名し、三宅雪領文学博士が南十字星を象った探検旗を翻して東京芝浦を出港したのはスコット隊（イギリス）のテラノバ号より遅れること半年後の明治四三年（一九一〇）年一一月二九日だった。芝浦の埠頭には五万余の群衆が押し寄せ、開南丸の壮途を祝った。そのひとり金田一京助博士は、山辺の勇姿を涙ながらに見送り、彼のことを「真摯熱烈の人。心底死を賭して、身命を抛《なげう》って開南丸に上がった彼の決意は全探検隊の何人にも劣りはすまい」（『ユーカラの人びと』）と述べ、山辺に対する熱い思いを滲ませている。また、昭和三二年（一九五七）、大蔵省の抵抗にあいながらも、国際地球観測年（一九五七〜一九五八）での日本の南極観測参加に尽力した文部大臣松村謙三《まつむらけんぞう》は早稲田大学を卒業したばかりの報知新聞社の記者で「開南丸」をボートで見送っていた。松村は熱烈な白瀬の支援者だった。

後援会長大隈重信《おおくましげのぶ》伯爵は、この南極探検に批判的な学者や一部の心ない者に「百発の空砲は一発の実弾に如かず」と白瀬隊を励ましている（南極探検隊後援会編纂『南極記』）。そして伯爵夫人は三崎稲荷のお守りを縫い付けた真綿のチョッキを全隊員に贈り、励ましの酌をすると二人のアイヌは感極まってハラハラと涙をながした。

白瀬南極探検隊の隊員は次のとおりである。

隊　長	白　瀬　矗（しらせ　のぶ）	四八歳	秋田県
学術部長	武　田　輝太郎（たけだ　てるたろう）	三三歳	福岡県
衛生部長	三井所　清　造（みいしょ　せいぞう）	三四歳	福岡県

書記長	多田恵一（ただ けいいち）	二八歳	岡山県	
糧食係	西川源蔵（にしかわ げんぞう）	二四歳	島根県	
被服係	吉野義忠（よしの よしただ）	二三歳	北海道	
炊事係	三浦幸太郎（みうら こうたろう）	二五歳	宮城県	①
犬係	山辺安之助（やまのべ やすのすけ）	四四歳	樺太	
犬係	花守信吉（はなもり しんきち）	三三歳	樺太	
学術部員	池田政吉（いけだ まさきち）	四四歳	東京都	②
写真技師	田泉保直（たいずみ やすなお）	二三歳	東京都	②
船長	野村直吉（のむら なおきち）	四四歳	石川県	
一等運転士	丹野善作（たんの ぜんさく）	四一歳	宮城県	①
機関長	清水光太郎（しみず みつたろう）	四〇歳	愛知県	
二等運転士	土屋友治（つちや ともじ）	三四歳	山形県	
三等運転士	酒井兵太郎（さかい ひょうたろう）	四四歳	愛知県	
事務長	島義武（しま よしたけ）	三〇歳	大阪府	
木工	安田伊三郎（やすだ いさぶろう）	三二歳	静岡県	
油差	藤平量平（ふじひら りょうへい）	二七歳	千葉県	

機関士	村松　進	（むらまつ すすむ）	二六歳	山梨県	
水夫長	高川　才次郎	（たかがわ さいじろう）	三一歳	三重県	
舵取	佐藤　市松	（さとう いちまつ）	三三歳	福島県	①
舵取	渡辺　鬼太郎	（わたなべ おにたろう）	二九歳	愛媛県	
舵取	釜田　儀作	（かまだ ぎさく）	二七歳	石川県	
火夫	杉崎　六五郎	（すぎさき ろくごろう）	三六歳	神奈川県	
火夫	高取　寿美松	（たかとり すみまつ）	三五歳	東京都	①
料理人	渡辺　近三郎	（わたなべ ちかさぶろう）	二九歳	岐阜県	
水夫	柴田　兼治郎	（しばた かねじろう）	二〇歳	愛知県	
水夫	福島　吉治	（ふくしま きちじ）	一九歳	千葉県	
見習運転士	三宅　幸彦	（みやけ ゆきひこ）	二七歳	和歌山県	②
火夫	浜崎　三男作	（はまさき みおさく）	二七歳	大分県	②

＊年齢は出航時の数え歳　①はシドニーから帰国した隊員　②はシドニーから加わった隊員

二人のアイヌ、山辺安之助と花守信吉は、隊員たちから犬奉行の愛称で呼ばれ、航海中は曳き犬の世話だけでなく、あらゆる雑用を引き受け、隊員たちから愛された。白瀬は彼らの真摯な仕事ぶりと正直、素朴さに密かに学ぶところがあったと『南極記』に記している。

開南丸船上の隊員

開南丸の山辺（右から二人目）と花守（右から三人目）武田学術部長（花守の左隣り）

文字を持たないアイヌは男女とも話が好きで有名だが、仕事を終えた夜など二人は生まれ故郷のことを樺太アイヌ語で話をしていた。隊員たちが「よくもまあ毎日毎日話の種もあるものだ」と感心した。船内の楽しみのひとつである読書も、全く文字を読めない花守にとっては縁がなく、山辺は話し相手となり、彼らの故郷トンナイチャやシスカ、タライカに伝わる説話や古謡をお互いに語りあうことが唯一の楽しみであったのだろう。ハウキやオイナに代表されるように、アイヌ民族には文字がない代わりに伝承文芸が発達し多くの説話や古謡が存在した。二人は優れた話者でもあった。

開南丸が赤道に近づくにつれて、気温はぐんぐん上昇し、食糧は腐敗し、米や小麦粉、それに缶詰にいたるまで多くを投棄せざるをえなかった。そして最初の犠牲が出たのは明治四三年（一九一〇）一二月五日、暑さのために弱りきっていた曳き犬三頭がついに死んだ。後でサナダ虫の寄生によるものと判明したが、狭隘《きょうあい》な船の中で赤道直下の熱射にさらされ衰弱したこともひとつの原因かもしれない。山辺と花守信吉は我が子を失ったように悲しみ、いつまでもその体をなでたり、さすったりしていたという。白瀬は「樺水」「南進」「北来」の諡《おくりな》の札を付けねんごろに水葬に附した。

しかし、その後も犬の斃死《へいし》は止まなかった。開南丸が南極圏に到達した明治四四年（一九一一）三月三日にはわずかタロー、ジローの二頭だけとなり、三月二七日にはついにタロー一頭となった。

山辺と花守の心中を察するに余りある。彼らが選りすぐり、手塩に掛けてきた身内同様の犬が次から次へと水葬に付される様子をどんな思いで見送ったのだろうか。コモに包まれた死骸に鱶《フカ》が群

開南丸の山辺（右）と花守

がり、見る見るうちに海中に消えていったと白瀬は語っている。白瀬にとっても、犬の死は大きな誤算だった。上陸後のことを考えると、憂鬱にならざるをえなかった。

日本からの出発の遅れは最後まで響いた。開南丸が南極圏に着いた三月には、冬季に入り海面は氷結し、烈風と吹雪は一段と厳しさを増して、上陸は不可能だった。幹部会議を開くが、失望のあまり誰ひとりとして口を開く者はなく、結局南緯七四度一六分からシドニーに引き返すことに決まった。傷心を抱えてシドニーに向かう途中、一部隊員の中に白瀬に対する不穏な動きがあったという。あらかじめ覚悟はしていたとはいえ、南極までの航海は危険極まりなく、特に南緯四〇度、五〇度付近は「吠える四〇度」「狂える五〇度」といわれる暴風圏。加えて濃霧が発生する危険な海域は、昔から船乗りから恐れられていた。たった二〇四トンの木造帆船は木の葉のように弄ばれ、全く経験のない隊員にとって、地獄を見る思いであったに違いない。そんな極地の厳しさを初めて体験した隊員の中に、隊長を葬り帰国しようという噂があったという。これを耳にした山辺と花守は、隊長に注進したというのである。公表されていないが、白瀬が帰国後、近親に打ち明けており、満更嘘ではなかったらしい。

シドニーのキャンプ

オーストラリアのシドニーに引き返した白瀬に、現地駐在の日本商社員がノルウェーのアムンセン隊が英国スコット隊に先立って極地に上陸したことを告げた。スコットについては、予期していたとはいえ、アムンセンは当初北極に向かっていたと聞かされていたので、彼の南極上陸は白瀬にとって大きなショックだった。

シドニーからの打電に後援会では「無事祝す　なお奮え」（一九一一年五月一六日受電）というものだったが、再起に要する資金や物資の調達の目途は全くついていなかった。白瀬は野村直吉（船長）と多田恵一（書記長）を一旦帰国させ、これまでの経過報告と今後の対応について後援会の指示を仰ぐことにした。アムンセン、スコット隊がすでに上陸していたことを知った後援会は極点到達を諦め「無謀なことは止めて学術調査に専念せよ。でなければ一切後援せず」という強硬なもの

シドニーのキャンプ

だった。白瀬にしてみれば、悲願である前人未踏の南極点踏破に情熱を傾けてきただけに、無念であったにちがいない。後援会にしてみれば学術的探検を前面にだすことによって、これまで冷ややかだった学者や国の理解を得て援助を有利に引き出そうと考えたと思われる。

後援会長の大隈は国の援助を再び申請するが、衆議院を通過したものの、政府はこれを握りつぶした。当時の首相桂太郎（第二次桂内閣）は山形有朋の後を引き継いだ藩閥内閣で、在野にあった大隈とはいわば政敵であったからである。国では援助しないばかりか、外務省を通じてシドニーで再起を賭ける白瀬隊に、早期帰国を促していた。

また、シドニー総領事には暗号文で「白瀬中尉率ユル南極探検隊ハ民間一部ノ企画ニ出テ政府ハ当初ヨリ全然関係セス、近頃同探検隊後援会ヨリ補助費下付の請願アリシモ政府ハ謝絶セリ、右事情貴官御含ミ迄」と打電している（七月六日・第一五四三号）。

後年、イギリスのシャクルトンが南極横断を実行する間際になって、第一次世界大戦（一九一四）の動員令が発令されたため、シャクルトンは探検を断念し、船も装備もすべて祖国に捧げようと申し出たが、時の海軍大臣チャーチル（後の首相）は計画通り実行せよと言い切った。探検に対するイギリスと日本との認識には雲泥の差があった。アムンセン（ノルウェー）、スコット（イギリス）の両隊が国の威信をかけて支援したのに対し、白瀬隊は国の理解も援助も全くなく、国民の善意に頼るほかなかった。

資金の乏しい白瀬隊は、シドニーのパースリィベィにキャンプを張り再起を図るが、探検用としてはあまりにも小さな船と貧弱な装備に地元の「サン新聞」は「今度来た日本の探検隊はにせ者で、あれは一捕鯨船にすぎない密漁船だ。あんな小さな船で南極まで行けるはずがない」と報じた。このとき、シャクルトン隊に参加し、一九〇九年（明治四二）一月一六日、ダグラス・モーソンとともに南磁極に到達したシドニー大学の地質学者エッジワース・デビット博士が「再挙を企てる勇気ある日本の探検隊」と擁護したことにより、シドニー市民の白瀬隊を見る目は変わり、土曜、日曜にはキャンプ地を訪れ、お菓子や果物などを差し入れする市民もあったという。

デビット博士を白瀬に紹介したのは、当時兼松商会の社員でシドニー大学に留学していた鈴鹿《すずか》保家《やすいえ》（一八歳）であった。

前列右からデビット教授・白瀬隊長・モーソン氏

デビット博士は白瀬隊の理解者だっただけでなく、彼が南極での学術調査で得たデータや経験を白瀬隊に提供するとともに、懇切なアドバイスを与え、白瀬隊を励ましてくれた。感激した白瀬はシドニーを出航し再び南極に向かう際、愛刀「左陸奥守包保《ひだりむつのかみかねやす》」を博士に贈り、心からの謝意を伝えている。この記念すべき日本刀は、現在シドニーのオーストラリア博物館に展示され、日豪友好の証となっている。

何とか疑念は払拭されたものの、不自由なテント生活は変わらなかった。その苦労を事務長の島義武《しまよしたけ》は著書『南極探検皇大神宮の奉齋』の中で次のように述べている。

「内地に帰った船長からは久しく送金もなく、それでも文明国民たる日本人の品性を保たねばならぬ必要上、隊員は氷海突破以上の苦労を強いられた。手分けして連日在留邦人の商館を訪ね、二〇円、三〇円の義損を仰ぎ二〇余人の隊員の糊口をしのぐみじめさ。来訪外人に一杯の茶さえ呈し得ない苦境もあった。また、垢に染まった下着のため外人の面会を謝絶したり、筆舌につくせない困苦欠乏と戦いながら再挙を楽しみに二〇〇余日をシドニー郊外の一部に天幕生活をした」と。

一方開南丸は修繕のためジブリードックに入っていたが、船員はその修繕工事に従事するとともに、船内で寝起きするという窮乏生活を強いられた。のちに白瀬たちが半年間キャンプ生活をしたパースリィベィのニールセン公園には旧金浦町とウラーラ市が共同で南極探検九〇周年の二〇〇二年三月に記念のモニュメントを建立した。

病気や身体の不調により、隊員四人の入れ替えがあり、新規に学術部員池田《いけだ》政吉《まさきち》、写真技師田《た》泉《いずみ》保直《やすなお》、見習運転士三宅幸彦《みやけゆきひこ》、火夫浜崎三男作《はまさきみおさく》が加わった。中でも大隈は南極探検の記録映像を重要視し、親交のあった映画会社M・パティー商会の社長梅谷《うめや》庄吉《しょうきち》に映画技師の派遣を要請。梅谷は、最も若い田泉保直《たいずみやすなお》を半強制的に派遣することを決め、当時としては破格の生命保険に加入した。田泉は探検隊の活動を二、〇〇〇フィートのフィルムを三巻に納め、白瀬隊の貴重な映像記録として全国各地で上映された。このフィルムは現存する記録映像としては国内で最も古いとされている。

梅屋庄吉は、写真技術を身につけ、写真だけでなく映画興行も手がけ巨額の富を築いたが蓄財には関心なく、正義感の強い梅屋は中国の革命の父といわれた孫文を陰で支援したことでも知られている（車田譲治『国父孫文と梅屋庄吉』）。

再挑戦

曳き犬のほとんどを失った白瀬隊は、カラフト犬の補充を後援会に要請、後援会では樺太日日新聞を介して樺太東海岸の栄浜や富内から再度募集する。この時、富内村の総代をしていた山辺の甥にあたる尾山富治や息子弥代吉らの働きによって、どうにか三〇頭を確保することができた。栄浜から犬たちを送り出す時の記念写真が今に残っている。また、再度募集された義金にも富内や敷香のアイヌの人たちが応じていることからもわかるように、山辺に対する同族の強い絆と、彼らの飼育していたカラフト犬に対する深い愛情が伝わってくる。

そして山辺の朋友、橋村《はしむら》弥八《やはち》が一一月一五日、熊野丸で二九頭の犬たちに付き添ってシドニーまで送り届けてくれた。橋村も連れてきた犬とともに南極に同行したいという希望があったが叶わなかった。

山辺と花守の二人は橋村を迎え、どんなにか嬉しかったに違いない。なつかしい故郷や家族、村人の消息に話はつきなかった。山辺はシドニーの街を案内し、山辺・花守・橋村の三人でビヤホールに入ってビールを飲んだ。山辺は思いの丈を語り、再び死を覚悟して極地に向かうことを告げ、少しばかりのお金を与え、村に帰ったら神様にお神酒を上げて皆で祈ってくれるように頼んだ。橋村は悲しい様子だったという。

明治四四年（一九一一）一一月一九日、開南丸は大修理を加え、バーカンティン型（前帆柱横帆の三帆柱スクーナー）から、三角帆つき縦帆装置スクーナーに改良してシドニー港を出港。再び南極に向かう。すでに南極に上陸していたイギリスのスコット隊とノルウェーのアムンセン隊は極点に向かって基地を出発していた。

開南丸は再び暴風圏に突入した。暴風の波浪は、波長二五〇メートル～三〇〇メートル、高さ一五メートルにも達し、更に大きな三角波と濃霧が行く手をさえぎり船を危険にさらした。大波に翻弄される船上で、野村船長はある時は一心に船霊様に祈り、ある時は帆柱に命綱を結びつけ、船員を指揮しながら大波に向かって「下がれ、下がれ」と叫んでいたという（白瀬談）。暴風圏を抜けても氷山の浮遊する南氷洋は危険窮まりなく、メインマストに取り付けた樽の見張り櫓では、寒気と強風にさらされながら水夫長の高川才次郎が昼夜を問わず監視を続け、気の抜けない毎日だった。南極海に入ったある日、開南丸の周りを数十匹のシャチが取り囲んだ。山辺と花守は海上のシャチの群に向かって敬虔な祈りを捧げた。樺太アイヌにとって、シャチは海の守護神であることから、吉兆の印として開南丸の安全を祈り、何度も何度も礼拝を繰り返すのだった。アイヌにとってヒグマ（山）、シャチ（海）、ヘビ（地表）、シマフクロウ（里、村）など、これらの動物は各空間を支配する神のシンボルとして崇められ、アイヌ特有の信仰の対象であった。

山辺、花守は日夜、犬の世話をしたうえ、帆の掛け替え、甲板掃除、学術部員の手伝いと、陰日

カラフト犬を送るアイヌの人たち（浄蓮寺所蔵）

向なく立ち働いた。氷海で捕獲したアザラシの解体と料理は二人の得意とするところで、流氷を引き揚げ、風呂を沸かすのは花守の役割だった。『南極記』にも「両アイヌの常に勤勉精励忠実なるは総員のひとしく感謝惜しむ能わざるところなり」とある。二人はアイヌ民族の勤勉性を示すことによって、同族が見直されることを願い、献身的な努力を惜しまなかった。彼らは、同族の期待と民族の誇りという重責を背負っていたのである。

明治四四年（一九一一）一二月一四日、アムンセン隊南極点到達。人類初の南極点踏破であった。翌四五年一月一七日、スコット隊は極点に到達するも、そこにはノルウェーの国旗が翻っていた。スコットの胸中を察するに余りある。

スコット隊は帰途、全員遭難死している。もとより白瀬隊は知る由もない。

明治四五年（一九一二）一月一六日、開南丸はロス海鯨湾でアムンセン隊の帰還を待つフラム号に遭遇する。白瀬にとって、シドニーで耳にした話が現実になった。この日、小さな入り江を発見した開南丸は、花守たちにボートを降ろさせ上陸を試みるが、花守がクレパスに落下、土屋友治《つちやともじ》運転士に救助され、命拾いするというアクシデントがあった。南極上陸の初めての洗礼に花守は奈落の底を見てきた恐ろしさを身振り手振りをまじえて語った。

翌一七日には花守は一頭の犬と氷上で一夜を過ごし、翌朝隊員たちから寒くはなかったかと問われ「インヤ寒くはなかった。一寝入りして起きてみたら袋の上に雪が五寸も積もっていたが、そんな事はなんにも知らなかった」と平然と言い、さすが樺太アイヌと隊員たちを感心させた。

鯨湾のロス棚氷に接岸した開南丸は寸暇も惜しみ、資材の陸揚げに全力を尽くした。苦労して降ろした荷物が見る見るうちに氷とともに流されたり、山辺と犬たちが乗った氷盤が引き離されるということもあって、一瞬の気も許せなかった。陸揚げされた資材は早急に安全な氷堤上に運び上げなければならず、山辺と花守は先頭に立って荷揚げと道路の開削に汗を流した。休息するとその汗はたちまち凍り、防寒具は雪と汗で凍結して銀の鎧になったという。

野村船長が三宅幸彦を伴いフラム号を表敬訪問したのは一七日午前一〇時であった。総トン数四〇二トン、二五馬力の石油エンジン付き帆船は堅牢で外国航路の客船以上だったと驚きをもって白瀬に報告している。翌一八日、返礼に訪れたフラム号のニイルセン船長は、船の規模、装備の貧弱さを見て「こんな船では自分たちは到底ここまでどころか、途中までも来ることもできなかったろう」と驚嘆した（木村義昌・谷口善也『白瀬中尉探検記』）。野村船長はじめ船員たちの巧みな操船技術は、後年ノルウェーの極地研究家イワール・ハムレ氏がヨーロッパ人に劣らない航海技術だと英国の地理学雑誌『ジオグラフィカル・ジャーナル』（一九三三年）に発表している。当時、日本では帆船で赤道以南を航海した経験者が皆無であったことを思えば、まさに画期的な壮挙といえるだろう。野村船長は探検後、開南丸の操船技術をかわれ、外国航路に従事している。

南緯七八度三三分、西経一六四度二二分の鯨湾ロス棚氷上に根拠地を設けた白瀬は、一月二〇日、両アイヌの発する「トウトウ（進め）」の声で極点を目指し出発した。花守が御する一五頭の犬橇に白瀬、武田が乗り、後の橇（一三頭）に山辺、三井所が続いた。八〇〇キログラムの食料資材も二八頭の犬にとって大きな過重で、白瀬たちは橇から降りて後ろから押した。それでも橇は遅々として進まず、サスツルギという波状の氷面と一五センチメートル～三〇センチメートルの積雪に不安定な橇は何度となく横転した。

二日目の二一日にはやむなく九日分の食料を降ろさざるを得なかった。山辺と花守は御者としての犬橇の運行と犬たちの世話、それに隊員の炊事と休む暇もなかった。そんな白瀬隊に南極特有のブリザード（地吹雪）は容赦なく吹きつけた。毛皮の防寒具はあっても、一張りのテントは白瀬、武田、三井所の三人が入るのが精一杯で、山辺と花守は二台の橇を垣として犬と同じく野宿だった。それも極寒の地である。いかに樺太の寒冷地に育った彼らにしても、氷点下二〇度以下の風雪は応えたに違いない。朝起きると、毛皮の上にはたくさんの雪が降り積もっていたと、『あいぬ物語』で山辺は語っている。

一月二五日、猛烈なブリザードが一行を襲った。寒暖計は氷点下二五度を越え、極度の寒さに臭覚の鈍った後続の先導犬が前の橇を見失った。離脱することは死を意味し、三井所と山辺は露営も覚悟したが、幸い前の犬が残した凍傷の血痕を発見し、ようやく合流することができた。この頃になると、落伍する犬も出て、人も犬も疲労は極度に達し、花守は口も利けないほどだった。

一月二六日、三井所は食糧の残り少ないことを白瀬隊長に告げ、協議の結果、一両日進めるだけ進んで、引き返すことに決する。

基地を出発してから八日目の明治四五年（一九一二）一月二八日、白瀬はここを最終地点と決めた。

南緯八〇度〇五分、西経一五六度三七分に至るや一歩も進む能わず。進まんか、死せんのみ。否、死は兼ねて期せるところ、敢えて惧れざれども使命は死よりも重し。死しては命を果たすを得ず。我は泣いて使命の為にこの上の行進を中止しぬ、更に進まんか猪勇のみ。茲に於いてかこの地点に天幕を設け、緒具を収容し、ひと先ず露営しぬ。（白瀬京子『雪原へゆく』）

白瀬は引き返す思いをこのように吐露している。また後日、白瀬は全員死亡した場合を考え「死は努力の終極ではあるが、責任の終極ではない。日本南極探検隊が極心に至らずして南極大陸のどこかで死んだと伝えられたならば、世界はいかに我々を見るであろう。恐らく国家的恥辱となるに相違ない」と述べ国際的に日本の国自体が非難されることを危惧している。なお、この時点までに南極探検は各国の学者や勇士たちが二二回挑戦しているが、南緯八〇度を越えた探検隊はアムンセン隊（極点）、スコット隊（極点）、シャクルトン隊（南緯八八・二三）、そして白瀬隊（南緯八〇・〇五）の四隊しかいない。

白瀬は見渡す限りの大雪原を「大和雪原《やまとゆきはら》」と命名し、寄金者芳名簿の入った銅製の箱を雪中に埋設し、日章旗を立てて日本の領土を宣した。わずか数時間の滞在だった。追い立てられるようにその地を離れた白瀬は、白皚皚《はくがいがい》の地に翩翻《へんぽん》と翻る日章旗を何度も何度も振返ったという。そして今は無人の世界であっても幾千年後には、必ずや人が住み、車馬が行き交う街に変わっているだろうと、気の遠くなるような想いを日記に記している。

一九二九年（昭和四）一一月、アメリカのバード少将が南極のロス海鯨湾棚氷の上空を飛行した際、白瀬隊の立てた赤いブリキの標識を発見した。その結果、白瀬隊の地上探検を優先し、バードが英語で命名したヘレン・ワシントン湾、ハル・フラッド湾の地名を取り消し、白瀬隊が命名していた「大隈湾」「開南湾」を昭和八年（一九三三）一一月、アメリカ地学協会は承認した。（我孫子市教育委員会『白瀬中尉の南極探検と楚人冠』）その結果、白瀬たちが命を賭けて踏破した南緯七八度の上陸地点から南緯八〇度〇五分までの地域は、バード少将の勧告もあり、「日本領土大和雪原」

として昭和八年（一九三三）、世界地理学会から公認される。白瀬は自分の探検した地域を日本領土として公式宣言するように政府に提案したが、白瀬の南極探検に理解も関心もなく、なんの援助もしなかった当時の日本政府はそれを宣言しようとしなかった。それどころか、サンフランシスコ講和条約では南極の権益も、将来の請求権も、気前よく放棄してしまった。「日本国は、日本国民の活動に由来するか、又は他に由来するかを問わず、南極地域の何れの部分に対する権利もしくは権原（ある行為を正当化する法律上の原因）又は何れの部分に関する利益についても、総ての請求権を放棄する」という条項が含まれているのを見て、日本側はその意味するところがよく分からなかったという話さえある。

ちなみに、「大和雪原」の面積は、開南丸の航程及び徒歩行程に視界距離を勘案して一一三、八〇〇平方キロメートル（秋田県と新潟県の合計面積に匹敵）としている。

帰路は寝食もそこそこに急ぎに急いだ。往路の八日間をわずか三日で基地に戻っている。南極の二八三キロメートルを三日間で走り抜いた犬橇は、未だかつてない。それは食糧が底をつき、残るはわずかのビスケットだけであったからである。山辺はそのビスケットさえも犬たちに分け与えている。一月三一日、基地にもどった五人は、疲労困憊のあまり食事を終えると死んだように眠り続けたという。途中落伍した犬は帰ることはなかった。

基地に残っていた村松進隊員と吉野義忠隊員は、突進隊が出発した後、アムンセン隊の隊員がスキーを履いて滑走しているのを見て驚いている。オーストリアのレルヒ少佐が高田町（現新潟県

突進隊

上越市）で日本陸軍にスキーの技術指導したのは明治四四年（一九一一）一月で、事実上の伝来としているが、白瀬隊の出発時においては、その存在も効用も全く未知のものだった。アイヌの間では類似したものはあったが、雪面を滑るものではなく犬橇にまたがった馭者が、両足に付けている板かんじきに過ぎなかった。アムンセン隊がスキーの名手と犬橇を駆使して極点を走破したことを思えば、白瀬隊にとってスキー技術の取得ができなかったことは悔やまれる。

二月二日、鯨湾に白瀬たちを迎えに来た開南丸はボートを降ろしたが、烈風と目まぐるしく変化する氷塊に阻まれて難航し、隊員を収容するのが精一杯だった。続く三日も南からの強風は猛烈な吹雪を伴い開南丸を襲った。四日目には開南丸の周囲が流氷に取り囲まれ、湾内にとどまることはもちろん、脱出すら困難を極め、野村船長は緊急避難命令を出した。流氷によって開南丸の船体が押し潰される危険があったからである。一刻の猶予も許されない緊迫した状況の中、曳き犬六頭を船に引き揚げるが、精いっぱいで残りの二〇頭は置き去りにされたのである。

後年、装備の整った南極観測船「宗谷」（二六〇〇トン）や「ふじ」（五二五〇トン）でさえ氷海に閉じ込められてソ連の観測船「オビ号」に救出されたり、第一次越冬隊が悪天候のため一五頭のカラフト犬を置き去りにしたことを思えば、木造機帆船「開南丸」（二〇四トン）が烈風と流氷が迫りくる氷海を抜け出すのに如何に必死であったかは想像に難くない。

このような状況とはいえ、山辺と花守にとっては、苦労を共にした犬たちである。船中で斃死した前回よりも残酷な別れだった。「犬どもが遠吠えで我々を見送っているのを見たとき、かわいそうで心の奥で泣いて振り捨てるように開南丸に戻った」と山辺は言い、花守は「氷の上で悲しい声で泣きながら船を追いかけてくる犬たちを見て泣かない者はなかった」と悲痛な心情を述べている（『あいぬ物語』）。二人だけでなく、隊員にとって、まさに後ろ髪引かれる思いだったに違いない。山辺と花守は最後の別れに干鱈の入った俵を氷上に投じた。

山辺は郷里樺太に帰ってから犬を置き去りにした責任を問われて、部族のチャランケ（査問）にかけられたという風説もある。その経緯を聞くことはあっても、村民の信頼も厚く衆望を担って総代であった人物を、厳しいチャランケにかけるとは思われない。樺太では犬の毛皮をセタルシという上着や外套として着用している例もある。

帰路につく犬群

犬を置き去りにしたことは、白瀬も心を痛め、後年「物故者之霊」の中に犬隊員の文字を入れ、朝夕の勤行を欠かさなかった。ちなみに極点を踏破したアムンセン隊も犬が主力であった。この探検を「犬に始まり、犬に終わる」と結論付けたように五六頭の犬で四台の橇をひかせ極点に到達した。しかし基地に帰った時はわずか一一頭だけだった。荷が軽くなって不要になった犬を人と犬の食料としたのである（ロアルド・アムンゼン著・谷口善也訳『南極点征服』）。スコットはクレパスに落ちた犬を自ら救ったのに対し、アムンセンは目的のためには、すべてを犠牲にするという冷徹な探検家だった。

後日談になるが、探検五〇年後の昭和三三年（一九五八）の戌年に開南丸の事務長を務めた土支田八幡宮（東京都練馬区）宮司島義武が発起人となり「南極皇化忠犬慰霊碑」の建立を企てるが、実現しなかった。やはり隊員それぞれの胸中に悔恨の念が残っていたに違いない。

生き残った六頭のカラフト犬は帰国後、五頭は後援会の幹事や在京の名士たちに贈られ、ブチという雄犬一頭だけは山辺と花守が生まれ故郷の樺太に連れて帰った。

二月四日、危機一髪、流氷群をようやく脱出した開南丸は、当初予定していたコールマン島の学術調査も幹部会議の結果取りやめとなり帰路についた。日夜、気の許せない氷海の中で、隊員、船員とも疲労は極度に達していた。探検は初期の目的は達成したというものの、隊員の中には不満の声も少なからずあった。白瀬にしても水や食料、それに石炭不足のために引き返さなければならなかったことが、心残りであったに違いない。すべて準備の立ち遅れと資金不足による退去だった。

三月二三日、一年ぶりにニュージーランドのウエリントンに寄港した白瀬たちに、税官吏はスコット隊に会わなかったかとしつこく尋ねた。そのころアムンセンに先を越されたスコットは極点からの帰途、エバンスとオーツを失い、猛烈なブリザードに襲われ、身動きできずにいた。

帰国

開南丸は南極海での疲れを癒すように四月二日までウエリントンに滞在する。隊員たちが市街見物に出ている間も、山辺と花守は終日、船内の整理に追われた。

三月三〇日、白瀬隊長は隊員船員の給料手当を準備するため、一足先にオーストラリアのシド

帰国記念写真

ニーから日光丸で帰国の途につくが、この前日（二九日）スコット隊は極点からの帰途、スコットを最後に全員死亡している。もちろん、白瀬たちは知る由もない。スコット隊にとって「世界最悪の旅」といわれるように落胆と失意の南極点への旅であった。

アムンセンに極点一番乗りはゆずったものの、スコット隊は極地にたいする多くの知識を人類にもたらしている。最悪の条件にありながら気象、地理、地質調査を行い、岩石を採取し、死を迎えた最後のテントのそばには一六キログラムの鉱石標本を積んだ橇があったという。死を目前にした彼らが最後まで放さなかったのは学術という最高の目的を重んじたからであろう。そして、スコットこそ英雄的精神と科学的探求心をみごとに結合させ、極地征服に生命をささげた「敗北の勝利者」と評する人もいる。

この頃、日本の帝国議会では、後援会の佐々木安五郎《ささきやすごろう》議員が白瀬隊への補助金下付について質問に立っている。佐々木は、白瀬隊が学術的な成果を収めたことは確実であることを挙げ、さらにアムンセンがノルウェーに帰国したときには国王が表彰会を開いたことを挙げて、「世界ノ文明事業ニ志アル者」が日本の白瀬隊への待遇に注目していると迫った（衆議院議事録第二六号）。しかし政府はまたしても動かなかった（我孫子市教育委員会『白瀬中尉の南極探検と楚人冠』）。

帰国の準備を終えた開南丸は四月二日にウエリントンを出港。隊長とともにフィルム現像を急ぐ必要があった写真技師の田泉と体調をくずしていた武田、池田、村松、安田の五名の隊員が先に帰国したため、花守はワッチ（見張り）に交代でするなど船員の作業やペンギンなどの剥製標本の作成手伝いなど多忙を極めた。土屋友治運転士は舵の取り方まで教える熱心さであった。また多田恵一書記長は読み書きのできない花守に帰国までには葉書ぐらい書けるようにと仮名の授業を始め、「五十音が暗記できると樺太では学者になれるぞ」と花守を励ました。

帰路、開南丸はフランス領アネイリューム島付近でウエリントン出港以来最大級の暴風に遭遇し、強風により前帆柱の桁が二つに折れるというアクシデントがあったり、日本近海ではあわや座礁かという危険にさらされるが、風向きが変わり難を逃れた。

明治四五年（一九一二）六月二〇日、開南丸は一年七カ月、四八、〇〇〇キロの大航海を終え、一人の死傷者も出さずに無事東京芝浦港に帰還した。芝浦の埋め立て地には五万余の市民が出迎え歓迎し、夜は提灯行列の人の波で溢れた。だが、南極探検に理解を示さず、援助をしなかった政府の要人の姿はなかった。

二一日、白瀬隊長以下探検隊一行は大隈邸を訪れ、各幹事の出席のもと帰朝報告を行う。この席上花守は伯爵夫人に新聞紙包んだ南極のお土産をうやうやしく差し出した。それは南極で拾った南極鷹（盗賊鴎）の美しい羽であった。夫人は花守の素朴な心づかいに感心し、良い記念になると礼を述べた。

同じ年の四月一〇日、イギリスのサザンプトンからニューヨークに向け、二、二二四人を乗せて処女航海に出た英国の豪華客船「タイタニック号」（四六、三二九トン）が氷山に衝突し一五日午前二時沈没している。一、五一三人の犠牲者を出した世界最大の海難事故だった。たった二〇四トンの木造機帆船開南丸が暴風圏を通り抜け、氷海を縫って南極に上陸できたのは奇跡とまでいわれた。ノルウェーの極地研究家イワール・ハムレ氏は「極地に全く無経験であった日本の白瀬中尉らの探検は、すべての探検史上の一新機軸をなす一大冒険であった。極点に到達するには緯度で一〇度不足であることなど問題ではない。極地航路に慣れたフラム号ですら開南丸の冒険の半分も体験していない」という記述をイギリス王立地理学会誌に載せ、当時の日本南極探検隊の苦難と勇敢さを讃えている。

また、朝日新聞の記者、杉村楚人冠は「白瀬がもし極に達しないからといって、直ちにこれを大失敗と攻撃するような者があったら、白瀬に犬死を強いるようなものである。ただ先人未踏の地を探検して極に達しないことの方がむしろ気がきいている。死ぬだけなら日本にいてもできる」とコメントしている（「白瀬中尉の南極探検と楚人冠」）。

山辺は帰国後、金田一博士を訪れ、「悪運が強いのか、また命を拾って帰りました」と、生きて帰れたことを喜び、笑みを交わした。

山辺は樺太に帰るまでの間、金田一博士とともに『あいぬ物語』の編纂にとりかかる。アイヌのために学校を建て、日露戦争と南極探検に二度まで命をかけた半生を子供たちに伝え、子供たちの教育に没頭して死にたいという一念からだった。時代の波に翻弄された少数民族の苦悩と悲哀、そして山辺の生きざまに心を打たれる。

『あいぬ物語』は同化政策に利用されたという指摘もあるが、このことによって山辺の品位が低下するとは思わない。そこには山辺の同族に対する真の愛情と、真摯な彼の性格を行間から読み取ることができるからである。物語の末尾には、「この本に目をとおすことがあったら、私の衷情を察して頂きたい」と思いの丈を語り結んでいる。

金田一博士は彼のことを真摯熱烈の人と評し、山辺自身も「アイヌ、アイヌ、と一口に言わせまい。アイヌの中に俺がいる」と自負するように、同族の奮起を促し、差別と貧困から救うための教育に身をもって実践した生涯と言えるだろう。

金田一博士はこの物語について、山辺の謙遜によって彼の真価、真の功績、特に心情の悲劇的な色彩を十分に発揮出来なかったと記している。悲劇的色彩とはいったい何であったろうか。

白瀬と犬橇係山辺とは隊長、隊員の主従関係にあるとはいえ、自らの信念に基づき探検という手段をもって未知なるものへ挑戦した白瀬矗と、同族の奮起と地位向上に心血そそいだ山辺安之助の二人の熱意に優劣はない。明治という時代は私利私欲にとらわれない純粋な精神培養ができた時代だったのではないだろうか。

金田一博士（右）と山辺安之助

第三章　数奇な運命

郷里樺太

探検後、落帆村に帰った山辺は出崎松之助《でざきまつのすけ》の未亡人ハルと再婚している。出崎は山辺と対雁に移住し対雁教習所で学び、分譲地も隣同士であった。明治二八年（一八九五）再び樺太に帰島した出崎は愛郎《アイルプ》の相原漁場で働く。日露の国交が断絶した明治三七年（一九〇四）には同漁場の管理を任されていたが、何度となく漁場の資材を略奪に来るロシア兵を仲間と銃殺し、これが発覚して大泊《コルサコフ》に連行される途中、自ら命を絶った。

戦後、漁場主の相原寅之助は出崎の死を悼み、北海道から石碑を取り寄せ、出崎の霊を弔った。その戒名は「義猛勇徹信士」と銘記され愛郎の漁場の丘陵に建立したとある（葛西猛千代『樺太土人研究資料』）。

山辺は帰郷後、落帆村の総代として「新しい村」の建設にとりかかる。これまで漁業に頼りきっていたアイヌの生活に、将来を見越して部落共同の広大な土地（五〇万坪）の払い下げを受けて農耕を指導し、自ら漁業権を獲得し漁場主となり半農半漁による生活の安定を計るなど、他の模範となる集落をつくった。他村の人々は落帆村を羨んで山辺の村人になりたいというほどであった。

大正一二年（一九二三）七月九日、山辺安之助は全村民に惜しまれながら病没。五六歳の波瀾の生涯を閉じた。七月二一日の樺太日日新聞は次のように報じている。

土人部落
山辺落帆総代
本月九日死去

落帆土人部落総代山辺安之助氏本月九日午前五時、五十九歳を以て死去したり、同氏は日露戦役及南極探検等国家的の勲功あり勲八等を授けられ居る者なるが、土人保護制度の制定及び部落開発等功績顕著なるものに付き管理者よりも応分の弔意を送られたるが、葬儀は本月十一日を以て営まれ永井長官及村中支庁長等の弔電あり、同部落開始以来の盛大なるものなりし由。

昭和七年（一九三二）の夏、落帆村を再び訪れた金田一京助博士は、以前の粗末なアイヌ小屋の面影はなく、新築されたどの家にも新たな仏壇と神棚が備わって生活様式も変わり、見違えるようになっていたと述べている（『心の小道をめぐって』）。

山辺安之助の生きざまに感動した私は、ふたりの子孫を捜し当てたいという願望にかられ、樺太から引き揚げてきた人たちの情報を基に、縁者を訪問したり、手紙や電話で消息を尋ねたりした。紆余曲折の末、再婚した山辺とハルの間には一男、二女がおり、その子孫は北海道に引き揚げていることが分った。ただ山辺が北海道から樺太に帰るとき、生死を共にした先妻と息子弥代吉の行方が全く分からなかった。探検隊員の条件として「係累なきもの」とあるから、妻とは死別あるいは離別していたのであろうか。後援会が妻帯を勧めた時、山辺は「感ずるところあって花嫁は謝絶した」（樺太日日新聞大正一年九月二七日）とある。

山辺が南極に行っている明治四四年（一九一二）二月一八日、トンナイチャ（富内村）で行われた熊まつりを見物に来た観光客が氷結したトンナイ湖を渡る途中、薄氷に足をとられ十数人が湖水に呑まれる事故があった。弥代吉は直ちに現場に駆けつけ救助に当たった。「勇敢なる土人」として当時の新聞は報じている（明治四四年二月二七日『樺太日日新聞』）。その後の弥代吉の消息は不明である。

私が彼らの足取りを調査中に関係者から「そっとしておいてほしい」という声を耳にした。アイヌの血を引く多くの人たちが、今なお偏見と差別を恐れて出自を秘密にしている。そのことを思うとき、差別問題の根深さを改めて痛感せずにはいられなかった。

一方、花守信吉は妻を亡くしていたため、後援会では探検後に日本人の花嫁を世話することを約束していた。開南丸舵手の佐藤市松がサダコという娘をめあわせるが、彼女は花守のふるさと多来加のアイヌ社会に馴染むことができず、新婚間もなく離別している。その後、花守は引っ込み思案となって酒に溺れ、口を開けば南極探検に参加したことを得意げに自慢していたという。山辺が脚光を浴びている反面、花守の寂しさが伝わってくる。結婚に破れ、心の荒んだ花守は魔が差したのか、女性関係のもつれから人を殺《あや》める事件を起こしている（大正六年六月二三日『樺太日日新聞』）。南極探検に参加までした一途な花守の性格による事件といえなくもない。一五年の懲役を求刑された。出所後、身元引き受け人の札幌市内の鍛冶屋に身を寄せていたが、その後の消息はつかめていない。

白瀬のさすらいの旅

探検後の白瀬も開南丸も、名声とは裏腹に苦難の道を歩むことになる。白瀬は帰国して探検費用を清算したところ、後援会にあるべきはずの金額がなく、ある幹事を不信任とするが、後援会は解散し、結局自ら莫大な借金を背負い込むことになる。当時の金で四万円、今の金額にすると一億五千万円以上にもなる大金であった。中渋谷にあった自宅や家具、軍服、軍刀まで売り払い、借金返済のために南極で撮影したフィルム一巻をもって愛娘の次女タケコを連れての映画と講演行脚は日本だけでなく満州、台湾、朝鮮まで及んでいる。ひとつの偉大な旅が終わって、また苦難の旅が始まった。白瀬にとって南極の極寒にもまして、借金返済という重荷を背負った厳しく辛い長い旅路であった。

昭和二年（一九二七）六月二一日、報知新聞の招きで来日したノルウェーのアムンセンに会う。赤貧洗うがごとしの貧困のどん底にあった白瀬は、洗いざらしの浴衣にやっと手にいれた夏羽織という姿であった。「オウ、開南丸、開南丸」と手を差し伸べるアムンセンに、白瀬は目に涙を浮かべ声を詰まらせるだけだったという。報われる事のない日本の白瀬隊長の姿に、アムンセンは憐憫の情を隠せなかったに違いない（アムンセンは白瀬と会った翌年〔昭和三年［一九二八］〕イタリアのノビレ少将が飛行船で北極探検に挑んで行方不明になった際、その救助に飛びたったまま帰らぬ人となった）。

白瀬が七四歳頃のへなぶり（狂歌）集が残っている

家もなく 金も無き身はのんきかな 詐欺や泥棒顔向けもせず

大晦日 いつも変わらぬ無一文 体の丈夫なことは日本一

忠孝も 仁義も偉人豪傑も 金がなければ人がいやしむ

昭和九年（一九三四）九月五日、白瀬の生まれ故郷金浦では、翁の偉業を顕彰するため、港を望む沖の島公園に金浦町文化協会によって「南極探検隊長白瀬矗君偉功碑」が拓務大臣永井柳太郎の揮毫で建立された。当時の秋田魁新報は竣工式典の模様を次のように報じている。

秋田県金浦町《このうらまち》が生んだ世界的探検家白瀬中尉の偉功を、永久に伝え郷土の誇りとするため、本年三月着工、今回漸く竣工し、白瀬氏を迎え盛んな竣工除幕式を挙行したが、荘厳頗る盛会に行われた。碑は高さ三米余の自然石で、氏の長女市川文子女史の手で除幕された。七四歳の老躯に、かくしゃくたる元気を見せた白瀬中尉は往時の感慨とこの温い誠心にうたた感激の涙を催す体で、往年の勇士の面上には満悦の微笑があった。

昭和一〇年（一九三五）、負債をほぼ返済したものの、その後の白瀬夫妻は東京都蒲田（昭和一〇年）、朝鮮京城（昭和一三年）、横浜市菊名（昭和一三年）、東京都大泉（昭和一六年）、埼玉県片山村（昭和一七年）と住居を転々と変えており、このころの心境を

恵まれぬ 我が日の本の探検家 パンを求めて所々転々

と詠んでいる。

昭和一九年（一九四四）八月、白瀬は終の棲家を、生まれ故郷金浦と決め、帰郷。白瀬を町の人

偉功碑竣工式にて

たちは南極の英雄として、尊敬と親しみを込め「南極さん」と呼び、差し入れをするなど物心両面から温かく迎えた。しかし、町民の心配りもむなしく、翌年の九月、親族会議と称し、埼玉県片山村の三男猛《たけし》の所に行き、二度と金浦に戻ることはなかった。

金浦在住中に白瀬と懇意にしていた斎藤大さん（平成一四年五月、九三歳没）から生前話を聞くことができた。冬の厳寒期でも藁靴に素足のままで斎藤宅を訪れ、火鉢を遠ざけてコップの冷水を飲みながら南極の話を訥々と語ってくれた。干し柿や干し餅、スルメなどが好物で、前歯が欠けていたほかは健康そのもので、八四歳とは思えない元気さだったという。金浦をどうして去ったのか、今でもその真意はわからない。

白瀬夫妻は昭和二一年（一九四六）六月、

中国天津から引き揚げてきた次女タケコと孫の喜子とともに埼玉県片山村を後にし、縁者を頼って京都嵐山へ。同年八月一九日には愛知県加茂郡挙母町《ころもちょう》（現豊田市神明町）に転居。鮮魚店（魚十分店）の二階に居を定めた。日本は終戦の混乱のまっただ中、日々の食糧を求めるのも困難で、タケコは白瀬が南極で使用したゴム長靴まで食糧費に代える苦しい生活だった。それでも白瀬は南極の領有権に執念を燃やし、連合国軍最高司令官マッカーサー元帥に「自分が探検した南極の領有権はどうなるのか、隊長として戦犯の対象になるのか」を手紙で問い合わせている（この書簡はマッカーサー元帥記念館［バージニア州ノーフォーク］が所持）。これに対しマッカーサー元帥は「白瀬隊の業績に基づく南極における日本の権益等の決定については極東司令官の権限の外であるが、南極探検の偉業は国民的英雄行為として認めるべきである。従って白瀬中尉は南極探検の英雄でこそあれ、日本人として不法行為を行ったものと考えるべきものは何もない」という私見を述べている（書簡は親族が所持しているというが不明）。

挙母町に来て一五日後の九月三日、夕刻から痛みだした腹痛は夜中の二時には耐えられないまでになり、医者の来た四時には腹部は太鼓のように膨れ、手のほどこしようもなかった。病気で医師にかかったのはこれが最初で最後だった。

南極探検の英雄は、昭和二一年（一九四六）九月四日午前九時、腸閉塞のため、波乱万丈の八五年の生涯を閉じた。近くに住み白瀬の晩年に付き合いのあった中部日本新聞の伊藤《いとう》沆《ひろし》記者は白瀬翁の訃報を聞き駆けつけたところ、祭壇の床の間にはミカン箱の上にカボチャ二個とナス数個に乾

晩年の白瀬夫妻

ウドン一把が供えられているだけで、訪れる弔問客も少ない寂しいものだったという。戦後の混乱期、近所の人でさえ南極探検の白瀬隊長の死であることなど知る由もなかった。

辞世の歌は

我なくも 必ず捜せ南極の
地中の宝世にいだすまで

次女タケコは白瀬の死後、父の意志を受け継ぎ、再びマッカーサー元帥に書簡を送り（昭和二四年一二月八日）、対日講和条約の調印に当たって「大和雪原の日本帰属を認める条項を加えてほしい」と訴えている。このことが条約草案に「日本国民の活動に由来するものでも」請求権を放棄する、と注釈されることになったと言われている。白瀬の長年の執念も、タケコの願いも、空しく潰えてしまったが、白瀬の業績は今では科学と平和のシンボル南極観測として、昭和基地と南極地域観測砕氷艦「しらせ」に受け継がれ、人類にとってますます重要な地球環境の観測に貢献している。

奇しくも白瀬の終焉の地挙母町は第一次、二次、三次の南極観測隊隊長を務めた永田武氏の出身地（現豊田市宮口町）で、同氏の揮毫で「白瀬中尉終焉の地」の石碑が昭和五四年（一九七五）三月一五日、魚十分店の跡地に地元有志の手で建立された。

そして昭和四三年（一九六八）一二月一九日、白瀬の夢だった南極点到達を第九次越冬隊の村山雅美隊長以下一一名の隊員が果たしてくれた。

一方、開南丸は借財を埋めるため再び郡司大尉の報效義会に二万円で買い戻され、千島の漁業に従事していたが、南極から帰った翌年（一九一二）の秋、千島から台湾へ鮭を輸送した帰航の途中、紀州沖で座礁し沈没している。暴風圏と南極海の荒海を乗り越えてきた開南丸も建造してからわずか三年半で呆気ない末路を辿った。白瀬は後日これを聞き、せめて東郷元帥揮毫の船名が残っている船尾だけでも引き揚げて保存しようと試みたが、果たすことができなかった。スコットの第一回南極探検船ディスカバリー号やアムンセンのフラム号がイギリス、ノルウェーの縁の地に博物館として保存され、当時の極地探検の歴史を今に留めているのに比べて、如何にも残念である。

再び故郷を追われて

昭和二〇年（一九四五）八月、日本は戦争に敗れ、樺太島は再びロシア領サハリン州となり、樺太に住んでいた日本人（アイヌも含めて）のほとんどは大泊港（現コルサコフなど）から日本本土へ引き揚げることになったが、アイヌのなかには和人に対する不信感と差別を恐れ、居残った者もいた。多くの人たちは引揚船の寄港地だった稚内、函館から親戚、縁者を頼って散っていったが、内地に身寄りのない樺太アイヌは肩を寄せ合ってひっそりと暮らすほかなかった。同化政策のもとに彼らのバックボーンである独自の生活習慣や文化も、言葉も、同族の絆さえも断ち切られた。自ら望んで故郷の島を後にしたわけでもなく、国策によって二度も墳墓の地を追われ、そのうえ偏見と差別という十字架を背負わなければならない無念さと憤りを思うとき、同情の念を禁じ得ない。

現在では、差別を恐れ樺太アイヌの子孫であることを公言している人は数えるほどしかいない。知里真志保の姉で才媛少女といわれた北海道アイヌ出身の知里幸恵（一九歳で没）は同族の将来を暗示するように『アイヌ神謡集』の序で次のように述べている。

……愛する私たちの先祖が起伏し、日頃互いに意を通ずるために用いた多くの言語、言い古し、残し伝えた多くの美しい言葉、それらのものもみんな果敢なく、亡びゆく弱きものと共に消え失せてしまうのでしょうか。

樺太アイヌ語の最後の話し手といわれた浅井タケさん（樺太西海岸オタス生まれ）は平成六年（一九九四）に亡くなっている。

白瀬中尉をよみがえらせる会

平成一二年（二〇〇〇）の夏、白瀬中尉の探検スピリットを町づくりに活かそうと活動している旧金浦町の「白瀬中尉をよみがえらせる会」（渡部幸徳代表）の有志と私は、二人の樺太アイヌと南極に置き去りにされたカラフト犬の追悼のためサハリンに渡航した。山辺の故郷落帆《オチヨポッカ》村は、レスノエに変わっていたが、落帆の名前はオチホ川にその名を留めていた。レスノエは昔と変わらないだろうと思う豊かな自然の中に、ジャガイモ畑が広がり、牧場には牛が草を食み、未舗装の道路には鶏が忙しく餌をついばんでいた。山辺安之助とその後継者が築いた村にはロシア人が暮らし、住民はわざわざ私たちを自宅に招き入れ、絞りたての牛乳と手作りのパンを御馳走してくれた。家屋は決して立派とはいえないが、人々の心は温かかった。戦前、和人が暮らしていたという古い小さな家では、若いロシア人夫婦がつつましく生活し、山辺の情熱をかけた学校の跡地は集落の集会所が建ち、前の広場では子供たちの元気な声が響いていた。若き言語学者金田一京助が、異郷の地で「ヘマタ（何？）」という単語を引き出すまでの情景と、その単語を基に子供たちから、多くの樺太アイヌ語を聴取する姿がふと脳裏に浮かんだ。

オチホ川の河原で村の古老の話を聞くことができた。同じ屋根の下で日本人と暮らしていたロシア人は、終戦によって引き揚げる日本人に別れを惜しみ、涙を流したという。

村のはずれの小高い丘に、私たちは二人のアイヌ隊員とカラフト犬を追悼する小さな碑を建てて合掌した。眼下のオチホ川にはカラフト鱒が川いっぱいに遡上していた。

サハリン・レスノエ（旧落帆）の追悼碑

あとがきに代えて

先に述べたように山辺安之助の高邁な精神に感動した私は、彼の子孫を探し当て、できることなら会って話を聞いてみたいと思った。戦前、落帆に住んでいた旧樺太在住秋田県支部の細川秀明さんを男鹿市に訪ねたのは平成一二年（二〇〇〇）五月だった。細川さんは薄れた記憶をたどり、当時の富内や落帆集落の地図を再現するとともに、落帆にいたころ、山辺の娘さんが正月などの寄り合いの席に、父安之助が南極探検に参加して戴いたという記念の銀杯を持ってくることがあったことを覚えていた。しかし、子孫の消息は全く分からず、暗中模索の状況だった。

その三カ月後の八月、私たち（白瀬中尉をよみがえらせる会の三人）は二人のアイヌ隊員と南極の地に置き去りにされたカラフト犬の追悼のためにサハリンに渡った。同行してくれた秋田魁新報社と共同通信社の記者が帰国後、記事として大きく取り上げてくれたため、県内外からいろいろな情報が寄せられた。中には樺太写真集をわざわざ持参し戦前の樺太の状況を話してくれたり、北海道に住むアイヌ民族研究家の高校の先生からはお力添えのお手紙をいただくなど大いに励まされた。

サハリンから帰って間もなく、細川さんから樺太引揚者でつくっている落帆会という団体が北海道にあることを知らされ、そこの世話人をしているという室蘭市の木村さんを紹介される。しかし、子孫の消息は全く不明であった。木村さんは私の一方的ともいえる願いを聞いてくれて、新聞の尋ね人欄で呼びかけるなど、親身になって協力してくれた。だが、名乗りでてくる者はなかった。私の山辺の子孫探しは行き詰まった。南極探検に参加し、『あいぬ物語』を著し、樺太では有名な山辺安之助だけに、その子孫も容易に発見できるものと思っていたのが大きな誤算だった。そこには私たちには想像以上の差別問題が介在していることもわかった。

二度目の札幌訪問で、私は山辺、花守の子孫の消息と、北海道に引き揚げたアイヌの人たちの実態を知りたいと思い「北海道ウタリ協会」を訪ねた。自らアイヌ出身と名乗るNさんから自分の体験と、身の回りで起きているアイヌに対するいわれ無き差別と偏見で苦しんでいる多くの人たちがいること知った。例えば結婚や就職、あるいは会社や学校で、ただアイヌ出身というだけで差別され、肩身の狭い苦しい生活を強いられていることを。私は山辺安之助とオーバーラップさせて言いようのない悲しみと、差別問題の根深さを痛感した。

「ほっぺたを叩かれたときは痛い。しかしその痛みは時間がたてば消えるが、心に受けた差別の痛みは、いつまでたっても消えることはない」これは樺太敷香で陸軍特務機関から召集され、一〇年近いシベリア抑留を経て日本に引き揚げてきたオロッコ族のD・ゲンダーヌ（日本名北川源太郎）の言葉だが、アイヌの人たちが出自を秘していることは、差別から逃れるための自己防衛にほかならない。私が山辺や花守の子孫を調査中に、関係者から「触れられたくない古傷にさわるようなことをしないでほしい」という声も、彼らの代弁であった。アイヌ民族の地位向上と同族の奮起を命をかけて促した偉大な祖父を誇りとすべきなのに差別を恐れて公に出来ない彼らの心情を察するに理不尽でならない。

その年（平成一二年）の暮れ、木村さんから連絡があった。山辺の孫娘が道東に住んでいること、アイヌという差別を恐れてしばらく母親と別居生活をしていたことが分かった。私はすぐにでもうかがい、祖父安之助の記憶が残っているのであれば一言でも聞きたいという衝動にかられた。しかし、私の身勝手な行動が、彼らの人権を無視し、平和な家庭を乱すことになったら、取り返しのつかないことになる。私ははやる気持ちを押さえ、接することを諦めた。それが、残された子孫にたいする礼儀であり、思いやりであると自分に言い聞かせた。

平成一四年（二〇〇二）三月、山辺の遠縁で、情報を提供してくれた標茶町のTさん（男性）と、札幌市のDさん（男性）を訪ねることにした。Tさんは樺太で漁場をもっていた数少ないアイヌの出身で、祖父は智来《チライ》の総代を務め、畑を拓き、馬鈴薯の作付けを奨励するなど農業で成果をあげた著名な人物である。

まだ残雪のある糖路湖《とうろこ》湖畔の北欧風のレストランで、Tさんから樺太の思い出を聞くことができた。父と漁をしていたオホーツクの海やオチホ川の鱒漁のこと。敗戦から北海道に引き揚げるまでの二年間は（アイヌの人たちは和人の引き揚げ後になった）、ロシア人の家族九人と同じ屋根の下で暮らしたこと。体調を崩していた父親は引揚船で函館港に着くと間もなく亡くなり、祖母も後を追うように逝ってしまったことなど。持参した金田一京助の『採訪随筆』に載っている落帆村の女性達の写真を、懐かしそうに眺め「これは山岸のババ、これはサヨ、これは自分の母親、これは誰々」と故郷を思い出すように指をさした。義母《ヨーキ》は江刺追分が上手で金田一博士が来るとよく謡っていたのを子供心に覚えているという。だが、山辺の記憶はなかった。

二〇〇四年七月、私たちは破損された慰霊碑再建のためサハリンに渡った際、同じ船（サハリン平和の船）にTさんの妹安部洋子さんとご一緒することができた。安部さんたちは元落帆集落に住んでいた人たちとその家族で、船内は久しぶりに会った同郷の懐かしい顔触れがそろい話が弾んでいた。

安部さんは一九四八年、兄Tさんと共に日本に引き揚げ、結婚し二人の子供をもうけたが、後年夫にアイヌであることを知られ「土人」と侮辱され離婚している。安部さんは少女時代の落帆から日本に引き揚げて現在に至るまでの道のりを自伝と俳句にまとめ『オホーツクの灯り』を著し、北海道の出版社クルーズから出版した。この著書からもアイヌのおかれた過酷な半生と望郷の念を読み取ることができ、同情の念を禁じえない。安部さんは兄Tさんを落帆に連れて行きたかったと、積年の思いを募らせていた。

雪ふったてば　落帆の家　思い出し　　洋子

Dさんは山辺の再婚の相手ハルの孫で、家の中に大隈伯爵から頂いた「奢るなかれ　ぶるなかれらしくあれ」という色紙が掛けられていたという。また金田一先生から兄が「おじいさんのように、立派な人になるんだよ」と言われたことを覚えていた。義理の祖父・山辺のことについては、ハルおばあさんから話は聞いたことはあるが、記憶は定かでなく、残念ながら二人の記憶から山辺の面影を引き出すことはできなかった。ただ、山辺が再婚したハルさんについては、二人ともよく覚えていた。ハルおばあさんは情に厚く、誰にでも親切であったため自宅は託児所のようにいつもたくさんの子供たちが遊びに来てご飯を食べていたという。幼くして両親を失った山辺が、親戚の人たちに育てられたように、樺太アイヌの間では同族の孤児はもちろんのこと、和人の孤児まで養育した例がある。アイヌは自然人であるとともに、人間愛豊かな民族と言ってよいだろう。ハルおばあさんは、アイヌ女性の習俗である唇の周囲に入墨があり、日本に引き揚げて来た頃はいつもマスクをしていたという。二人は異口同音に熱く樺太への郷愁を語ってくれた。樺太の豊かな自然の恵みの中で、人情厚い故郷落帆、その海や川が彼らの心の中に今も息づいているのを感じた。

自らの意思で移住したわけでもなく、異郷の地で生活の基盤を失いアイヌというだけで差別されていることを思うと不憫でならない。

Tさんの「もう一度樺太に帰りたい。そして落帆で死にたい」と言った言葉が、今でも私の胸に焼きついている。

＊

『南極に立った樺太アイヌ――白瀬南極探検隊秘話』を東洋書店からブックレットとして出版したのは二〇〇四年六月。私にとって、内容も文章も稚拙なものでしたが、多くの方々に愛読されていること知り望外の喜びでした。

ただブックレットということもあって頁数にも制限があり、十分書ききれなかったこと、また、読者の皆様からの御指摘や、その後判明した事項を加筆修正し、できるだけ出典を明確にすることに努めました。

時代の波に翻弄された少数民族樺太アイヌ。同族の奮起に命を懸けた山辺安之助。東洋人として初めて極寒の地に挑んだ情熱の探検家白瀬矗。読者の皆様に明治という時代のエネルギーを感じていただくことができれば嬉しく思います。


この小冊子を著すに当たって、多くの方々から御指導、御教示を賜りました。特に資料の提供や文章の添削につきましては故渡部誠一郎氏に、再版につきましては共同通信社の橋田欣典氏に、移住アイヌについては北海学園大学名誉教授の藤村久和氏にご指導、御教示をいただきました。江別市郷土史研究家の高間和儀氏、旧樺太落帆会会長木村弘吉氏、男鹿市の故細川秀明氏、関東在住の安部洋子さん、国立アイヌ民族博物館設立準備室主任研究員田村将人氏、小説家の川越宗一氏、画家・彫刻家の奈良美智氏、青土社の篠原一平氏、白瀬南極探検隊記念館（写真提供）その他、情報をお寄せいただいた皆様に心から御礼申しあげるとともに故人になられた渡部・細川氏の御冥福を心からお祈り申しあげます。

佐藤忠悦

二〇二〇年三月

白瀬と二人の樺太アイヌを取り巻く人々

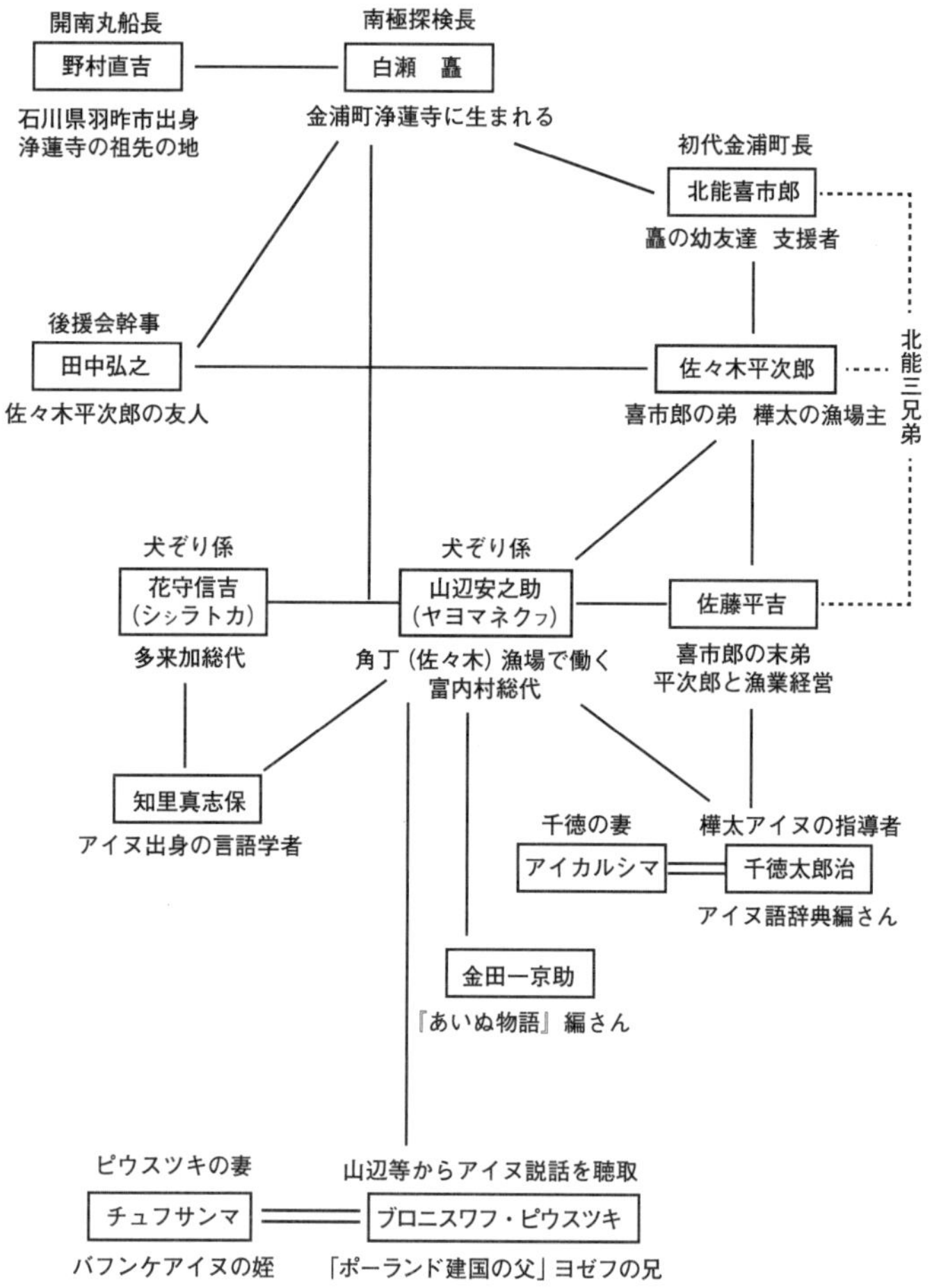
開南丸船長
野村直吉
石川県羽咋市出身
浄蓮寺の祖先の地
南極探検長
白瀬　矗
金浦町浄蓮寺に生まれる
初代金浦町長
北能喜市郎
矗の幼友達　支援者
後援会幹事
田中弘之
佐々木平次郎の友人
佐々木平次郎
喜市郎の弟　樺太の漁場主
北能三兄弟
犬ぞり係
花守信吉
(シシラトカ)
多来加総代
犬ぞり係
山辺安之助
(ヤヨマネクフ)
角丁（佐々木）漁場で働く
富内村総代
佐藤平吉
喜市郎の末弟
平次郎と漁業経営
知里真志保
アイヌ出身の言語学者
千徳の妻
アイカルシマ
樺太アイヌの指導者
千徳太郎治
アイヌ語辞典編さん
金田一京助
『あいぬ物語』編さん
ピウスツキの妻
チュフサンマ
バフンケアイヌの姪
山辺等からアイヌ説話を聴取
ブロニスワフ・ピウスツキ
「ポーランド建国の父」ヨゼフの兄

参考文献

『近世樺太史要』（下出繁雄編 全国樺太連盟）
『近現代アイヌ文学史論』（須田茂著・寿郎社）
『金浦町史』（金浦町）
『心の小道をめぐって・思い出の人々』（金田一京助著・金田一京助随筆選集・三省堂）
『採訪随筆』（金田一京助著・人文書院）
『佐々木平次郎伝』（小野田 正編纂）
『サガレン紀行』（チェーホフ著・大日本文明協会）
『サハリンとB・ピウスツキ』（ピウスツキをめぐる北方の旅実行委員会）
『白瀬中尉探検記』（木村義昌 谷口善也著・大地社）
『対雁の碑』（樺太アイヌ史研究会編・北海道出版企画センター）
『知里真志保著作集』（知里真志保著・平凡社）
『南極記』（南極探検後援会・成功雑誌社）
『南極探検と皇大神宮の奉齋』（島義武著・思想善導図書刊行会）

『南極探検日記』（多田恵一著・前川文栄閣）
『南極点への道』（村山雅美著・朝日新聞社）
『日露関係とサハリン島』（秋月俊幸著・筑摩書房）
『アイヌ神謡集』（知里幸恵著・弘南堂書店）
『あいぬ物語』（山辺安之助・金田一京助編　博文館）
『ユーカラの人びと』（金田一京助著・平凡社）
『柳田国男を語る』（石井正己著・岩田書院）
『アイヌ秘史』（桜井清彦著・角川新書）
『あいぬ実話集』（村上久吉著・旭川市立郷土博物館）
『新版　アイヌ政策史』（高倉新一郎著・三一書房）
『えべつ曼陀羅』（［江別市広報九八／六］江別市・企画部広報公聴課）
『樺太アイヌ』（西鶴定嘉著　みやま書房）
『樺太アイヌ叢話』（千徳太郎治著・市光堂）
『樺太土人研究資料』（葛西猛千代著）
『樺太の話』（中目　覚著・三省堂）
『樺太史物語』（宮崎雷八著）
『象潟町史』（象潟町）

『象潟の文化』（第四号　象潟町教育委員会）
『北の人』（金田一京助著・青磁社）
『北の民俗誌』（日本民族文化資料集成・三一書房）
『北蝦夷古謡遺篇』（金田一京助編・郷土研究社）
『北能喜市郎』（自費出版）
『極　上下』（綱淵謙錠著・新潮社）
『極北の別天地　樺太案内』（廣友社・出版部）
『白瀬中尉の南極探検と楚人冠』（我孫子市教育委員会）
『農漁村社会の展開構造』（福武 直著・地域社会研究所）
『北海道史研究』（三九号 四〇号・北海道史研究会 みやま書房）
『場所請負制とアイヌ』（北海道・東北史研究会編・北海道出版企画センター）
『雪原へゆく』（白瀬京子著・秋田書房）
『南樺太』（北進堂）
『よみがえる白瀬中尉』（渡部誠一郎著・秋田魁新報社）
『南極探検の思いで』（白瀬 矗 講演・山岳第三一年第二号）
『ロウ管の歌』（先川信一郎著・北海道新聞社）
『北海道アイヌ保護政策史』（［一九三四年刊］喜多章明著）

『樺太沿革史』（樺太庁［一九〇三］）
『樺太史研究』（洞富雄著・新潮社［一九五六］）
『明治維新と領土問題』（安岡昭男著・教育社［一九八〇］）
『オホーツクの明かり　自伝と句』（安部洋子）
『南極点征服』（ロアルド・アムンセン／谷口善也訳・中公文庫）
『週刊朝日』（昭和二六年九月二日発行）
『日本週報』（第四二七号［昭和三二年一二月五日発行］日本週報社）
『朝日新聞』
『樺太日日新聞』
『小樽新聞』
『北海タイムス』
『函館日日新聞』
『探偵世界』（成功雑誌社）
『南極観測事始め』（永田武著・光風社）

樺太アイヌ山辺（左）と花守

南極に立った樺太アイヌ
白瀬南極探検隊秘話
増補新版

2020年 3 月30日　第1刷印刷
2020年 4 月10日　第1刷発行

著者――佐藤忠悦

発行人――清水一人
発行所――青土社

〒101-0051　東京都千代田区神田神保町1-29　市瀬ビル
［電話］03-3291-9831（編集）　03-3294-7829（営業）
［振替］00190-7-192955

印刷・製本――ディグ

装丁――桂川潤

カバー写真――開南丸の山辺（右）と花守（中央）

図版提供――著者（14p,15p,25p,31p,45p,77p,91p）、
白瀬南極探検隊記念館（カバー,9p,25p,41p,47p,53p,55p,
57p,59p,63p,69p,71p,73p,85p,87p,105p）

ISBN978-4-7917-7262-9　Printed in Japan